のです。もっと言えば、その昔、日本が戦争や植民地支配を通じて、アジアの近隣諸国に多大な苦痛と損害をもたらした事実を話したりすると、政治の世界はもとより、日常のふとした場面で、さらには学校においても、問題化されたり、非難されたりするようになりました。『慰安婦』は強制ではなかった！」とか、「教科書に『真実』は書かれていない！」とか、「日本の植民地支配は西洋列強からアジアを解放した！」などとまことしやかに言われ、叩かれ、メディアで〝炎上〟したりします。歴史学がこつこつと積み重ねてきた研究成果や、歴史の授業で教えられてきた知識――最近では日本の植民地支配の歴史は授業であまり言及されなくなっているようですが――をそのまま口にするだけで、執拗に罵倒され、ときには精神的に追い詰められ、社会的にも取り返しのつかない大きな痛手を負うことさえあります。

私たちはいま、そんな歴史修正主義の時代に生きているのです。

あえて言いましょう、嫌な時代であると。しかし、嘆いてばかりはいられません。なんとかしないといけない。そのためにも、まずは現状をきちんと把握しておく必要があります。

実際、歴史認識問題について話し合ってみると、年齢や職業に関係なく、非常に多くの方々が、いくつもの「？」を抱えていることに気づかされます。基本的なものだけでも、例えば次のような疑問をすぐさま思い浮かべることができるのではないでしょうか。

●いつ頃から、そしてどのように、「歴史」の「認識」などといったことが社会で問題視さ

はじめに

本書の目的――歴史認識問題の現状を正確に把握し、未来を考えるきっかけを作る

「政治と宗教とスポーツの贔屓《ひいき》話は食事中にしてはいけない」――。そういう話題は個人の認識の善し悪しが問われ、場が白けてしまうから避けたほうがよい、ということです。最近では、政治や宗教に加えて、どうやら「歴史」の話でさえも、迂闊《うかつ》に口にできなくなりました。試みに酒の席で、「そういえば、新聞に出ていた徴用工の話だけどさぁ」とか、「安倍さんとかが言ってることって、何だかネトウヨっぽくない？」などと（若干強引なフリですが、ここはあえて！）、話し始めたとしたらどうなるでしょう。間違いなく気まずい雰囲気になってしまいます。「空気を読め」と窘《たしな》められるくらいならいいですが、下手をすれば言い争いになってしまうかもしれません。読者のみなさんも、一度か二度くらいは、そんな苦い経験を味わったことがあるのではないでしょうか。

そうです、この国ではいま、ある種の「歴史」を語ることはタブーと見なされることがある

教養としての歴史問題

前川一郎〔編著〕
倉橋耕平
呉座勇一〔著〕
辻田真佐憲

東洋経済新報社

れ、私たちの日常生活を翻弄するようになっていったのか。
●いったい誰が、どこで、何のために、かつて日本が戦争や植民地支配でさんざん痛めつけた国々と人びとをバカにして、蔑む言動を繰り返しているのか。その一方で、どうしていま、日本と〝日本人〟の名誉と誇りを声高に礼賛しようとするのか。
●全国のブックストアでは、なぜ〝愛国〟や〝嫌韓・嫌中〟をウリにした本や雑誌が平積みにされているのか。
●なぜ「歴史認識」をめぐって、ネットは無法地帯と化し、〝炎上〟するのか。
●日本と韓国や中国との関係がこじれてしまっているのも、これらと関係があるのか。
●こうしたことは日本だけに見られる現象なのか。世界ではどんなことが起こっていて、それらは日本の動向とどんな関係があるのか。
●そして、結局のところ、そんな言動の行き着く先に、いったい何が待ち構えているのか。
私たちは未来の世代のために、何ができるのか。

本書を手に取る読者であれば、もっとたくさんの、そしてより問題の奥底をえぐり出すような疑問に向き合っていることだと思います。本書の著者たちも、そうした数々の疑問に直面し、どうしたらいいのかと悩んできました。一つだけわかっているのは、歴史認識問題はそう簡単に答えが見つかる何かではない、ということです。正直なところ、戦後七五年を迎えようとしているというのに、なぜこんなことがまかり通っているのか、という奇妙な話でもあります。これまで通用してきた常識や感覚では理解に苦しむ、得体の知れない何かが起こっている。その意味では、じつに不気味な現象です。

本書は、専門も立場もそれぞれ異なる著者たちが、そうして模索を続けながら、一歩でも前に事を進めるために、読者のみなさんと何か共通のコミュニケーションの場を持ちたいという願いを込めて作られました。ふつうの大人——年齢ではなく、社会的責任を負う自覚のある人という意味で——が持っているはずの思慮と分別とを頼みとして、得体の知れない歴史認識問題の実態を把握し、できるだけ多くの方々と共に未来を考えるきっかけを作ること——。これが、著者たちの願いであり、本書の目的でもあります。

三つの論点

そうは言っても、「歴史認識」や歴史修正主義、「ネット右翼（ネトウヨ）」などといった歴史問題については、ご存知の通り、これまでもすでに多くの優れた書籍が出版されています。にもかかわらず、なぜ本書なのか。その判断は読者に委ねるほかありませんが、本書は、歴史認識問題の現状を把握し、「ではどうするのか」というところまで踏み込んで考えるために、これまで誰も明示的に論じてこなかった三つの切り口なり論点なりを提供したいと思っています。いわば〈本書をおススメする三つの理由〉です。ここで、各章の概要と併せてそれらの論点を簡潔にまとめておきたいのですが、そういうことが煩《わずら》わしい読者は、以下は読み飛ばして、第一章から読み始めていただければと思います。その場合でも、本書を全部読み終えてからこの箇所に戻ることで、本書全体の議論の要約を確認することができるはずです。

①学知が突き刺さらない歴史修正主義の実態を知るところから始める

第一に、本書は、専門用語がちりばめられた、専門家や運動家のあいだにだけ通じるような本を目指しているのではありません。その逆です。読者におもねっているわけではありません。そうではなく、「歴史認識」だからと言って、歴史学の専門家にしか通じない議論を内輪で繰り返しているだけでは、今日の問題には向き合えないと考えているからです。

なぜそうなのかと言えば、歴史修正主義者が言う〝正しい〟「歴史認識」のほとんどは、従来の学知――学問と知識、研究者や専門家の知見の総称――とは異なる手法で生成され、商業主義を介して大衆社会で広まっている現実があるからです。今日の歴史修正主義は、歴史学の学術誌や歴史教科書ではなく、私たちがふだんの生活で触れる雑誌や小説、映画やマンガやネットなどのメディアコンテンツによって育まれ、親しまれ、増幅し、日常と化しているのです。最近では、安倍内閣と自公連立政権が仕掛ける政治の世界や、その界隈と近い一部の学者のあいだにも、歴史修正主義に絡み取られた言動が見られるようになりました。ですが、歴史修正主義の「主戦場」は、あくまでも商業化された大衆文化、メディアの世界だと言えます。

じつは、学者や専門家たちの反応は、これまで決して鈍くはありませんでした。歴史修正主義の言動には、学術的見地から詳細なファクトチェックが行われてきました。しかし、誤解を恐れずに言えば、それらはともすれば学術誌や専門書に書き連ねるだけの内弁慶的なモノローグに留まり、歴史修正主義が現実に巣食う大衆文化にはまるで突き刺さらなかったのです。

つまり、学知と社会のあいだには、いつの間にか深い溝が生まれていたわけです。ならば、学知の批判が届けば、それで問題が解決するのかという疑問が残るのですが、これまでの歴史修正主義批判に付きまとう如何ともし難い〝場違い〟の実態、言説空間のズレに対する無頓着は、それ以前の問題です。厳しい社会の現実ですが、このことを自覚するところから、私たちは身の回りに起こっている歴史認識問題を仕切り直していかなければなりません。

第一章「『歴史』はどう狙われたのか？——歴史修正主義の拡がりを捉える」（倉橋耕平）は、こうして歴史認識問題に揺れる学知と社会のリアルな関係を社会学の立場から検討しています。著者は、すでに『歴史修正主義とサブカルチャー』（青弓社、二〇一八年）において、こうした現状を明らかにした第一人者です。本章では、そこからさらに踏み込んだ議論を展開しています。一九九〇年代以降、歴史教科書や「慰安婦」問題を契機に、歴史修正主義がどのようにして誕生し、展開していったのか。その特徴は何か。政治はいかに関与してきたのか。歴史修正主義者たちはいかに「こちらか／あちらか」という対立状況を作り出し、社会で主導権を握ろうとしてきたのか。さらに、スピリチュアルから昨今の「縄文ブーム」に至るまで、商業化された大衆文化を「主戦場」として、「歴史」コンテンツが〝消費〟されるようになった現代日本の社会の変化と、そこに顕在化した歴史修正主義の生々しい実態が描かれています。

②現代史の大きな流れに位置付けて、何が〝狙われている〟のかを見極める

そうした歴史修正主義の動向は、じつは日本特有の現象ではありませんでした。第二章「植民地主義忘却の世界史――現代史の大きな流れのなかで理解する」（前川一郎）と、第三章「なぜ〝加害〟の歴史を問うことは難しいのか――イギリスの事例から考える」（同）は、世界史の大きな流れのなかで日本の歴史認識問題を捉え直そうとしています。

著者は、二〇世紀の世界史を「植民地主義忘却の世界史」と呼びます。ひとことで言えば、第二次世界大戦後の国際社会が、戦争や植民地主義の加害事実の不正義を過度に追及することをやめ、棚上げにすることで均衡を保ってきた現代史です。そうした指向性は、一九九〇年代

以降の時代の変化を受けても大きく変わりませんでした。このとき、冷戦の崩壊がもたらした力の変化を背景に、戦争や植民地主義、さらには奴隷貿易にまで遡って、それまで沈黙を強いられてきた被害や苦しみの記憶と事実を、謝罪の要求や賠償・補償請求裁判を通じて国や国際社会に認めさせる動きが活発化しました。にもかかわらず、旧宗主国が大きな影響力を持ち続ける国際社会は、こうした時代の変化には後ろ向きで、法的責任には踏み込まない姿勢を崩していません。第三章は、その背景にある経緯や理由を、イギリスの事例を通して具体的に分析しています。

著者が言わんとしているのは、結局のところ日本の歴史認識問題は、こうして「過去の克服」に躓《つまず》きを繰り返してきた世界史的現象の一部ではないか、ということです。実際、歴史修正主義者の言説は、「『慰安婦』はデマ」とか「ホロコーストはなかった」とローカルな装いで繕っていますが、要するに、戦争や植民地主義の過去を問い直す近年の潮流に反発しているだけに過ぎません。その点で共通しています。戦争や植民地主義が歴史に刻んだ加害の事実を否認し、あるいは史実そのものを〝なかった〟とうそぶく点では、日本であろうが世界であろうが、今日の歴史修正主義は世界史的にはみな同一次元の現象であると言えるのです。

歴史修正主義の言説が飛び交う〝時代の土台〟を、現代史の大きな流れのなかで捉えることによって、そうした見方が浮かび上がってきます。歴史修正主義者らが結局何を〝狙っている〟のかを見極めることができます。歴史の大きな流れに照らして、そうした言動がどんな意味を持っているのかを、しっかりと考えることができるようになるのです。

本書が強調したい第二の論点がこれです。大きな歴史的文脈に問題を位置付けて考える実践の大切さです。別言すれば、特定の歴史的現象の性格や意味を見極める「リテラシー」としての世界史の強みです。歴史修正主義のレトリックに簡単に足を掬われないように、この世界史リテラシーを存分に活用すべきだというのが、本書のスタンスです。

③ファクトに基づく「良質な物語」をいかに作るか、ここに未来がかかっている

歴史認識問題の現状をこのように多角的に検討したうえで、第四章「『自虐史観』批判と対峙する――網野善彦の提言を振り返る」（呉座勇一）では、歴史学界の問題に焦点を定めています。一九九〇年代後半以降、「新しい歴史教科書をつくる会」が登場し、〈戦前の日本を罪人のごとく扱う自虐的歴史教育から日本人の誇りを取り戻す〉と働きかけた社会現象に対して、今日に至るまで歴史学界は有効に対処し得なかった。歴史学界はいったいどこで何を間違えたのか。著者は、いまから二〇年前にこの「歴史学の敗北」をすでに予言していたという、著名な歴史学者であった網野善彦を引いて考察しています。

「網野史学」と言われるように、網野は日本中世史研究の大家でしたが、「つくる会」の言い分に相対的に高い評価を示したために、歴史学界から猛反発を受けました。しかし、網野は「つくる会」に賛同していたわけではありません。著者によれば、むしろ網野のスタンスは、「自己の無謬性」を信じて「上から目線」で批判するだけで、「国民の物語」の探求を諦めてしまった歴史学界に対して、網野が抱いた強烈な違和感を裏返しに表明した態度でした。

誤解を恐れずに言えば、「つくる会」に始まる歴史修正主義の「物語」は、国民が共有できる「歴史の全体像」や「見取り図」を、つまりは「国民の物語」なり「通史」をいかに示すのかという、歴史と社会の根本問題を私たちに突き付けていました。人と社会にとって、「歴史」はどんな意味を持っているのか。修正主義への批判に徹するあまり、事実と物語のあいだで学知の側が逡巡しているあいだに、大衆文化を介して社会に「国民の物語」を提供したのは、歴史学ではなく、歴史修正主義の側でした。網野は、こうして社会から浮遊した歴史学の敗北は必定だと、すでに二〇年前に見通していたのです。

著者は、網野が見た歴史学界の構えは今日でも変わらない、と見ています。これこそ歴史修正主義的な書籍が氾濫するなかで「歴史学の敗北」を決定付けた最大の要因でした。だからこそ、〈歴史学者よ、外に出よ。「相手の土俵に上がる」ことを恐れるな〉と、著者は主張します。ベストセラー『応仁の乱』(中公新書、二〇一六年)で著名な、世代を代表する歴史学者にして、こうして「歴史学の敗北」を語り、歴史学界から批判された網野の提言を再評価するわけですから、そこで繰り出される〝呉座提言〟にはある種の迫力を感じます。

そうした歴史学の側からの改善策をふまえて、そこに「ジャーナリズムとしての歴史」を接続する重要性を論じているのが、第五章「歴史に『物語』はなぜ必要か――アカデミズムとジャーナリズムの協働を考える」（辻田真佐憲）です。ご存知の通り、著者は日本近現代史をジャンルとして多くの書籍を世に送り出してきた著述家です。日ごろから歴史修正主義者らと鎬《しのぎ》を削る豊富な現場経験に基づき、アカデミズムとジャーナリズムが連携して、「良質な物語」を作ることの意義を訴えています。「ではどうするのか」という問いに、「良質な物語」を作ると明確に答えているわけです。

「物語」とは、著者の言葉を借りれば、「大きな見取り図」のことでもあります。歴史の「見取り図」と言えば、「一冊で分かる」とか「早わかり」といった、学者が眉を顰《ひそ》めるトンデモ本の類の仕事を連想しますが、それを「実証主義的マッチョイズム」で全否定するのではなくて、「これくらいでいいじゃないか」という「健全な中間」を模索すべきだと著者は言います。曰く、私たちの人生の時間は限られており、しかもみなが真剣に歴史を勉強しているとは限らない。自分の嗜好に合わせて、好きなように好きな時間に歴史に触れる。それで「歴史」を〝学ぶ〟。学校だけが歴史教育の場ではない。だからこそ、大衆文化に根差した歴史修正主義が跋扈したのです。処方箋を施すなら、ここに立ち返るほかありません。

実際、歴史修正主義が商業ベースで拡散されている以上、ブックストアに平積みにされるような本や、ネットの世界に一定の社会的役割があることは否めません。しかし、歴史の大きな文脈に照らして歴史修正主義的な言動を見てみると、それは明らかに無理筋で、ファクトを伴わない胡散臭い話にあふれていることが分かります。それでも私たちは、時間がないなかで、手っ取り早くそこから歴史を学んでいくのです。歴史に対する関心が失われたのではありません。歴史には需要がある。問題は、その伝え方、伝わり方にあります。

だからこそ、第五章で著者が述べるように、ファクトをふまえた「良質な物語」を書き、さまざまな状況や立場で歴史に親しんでいる人びとにこれを無理なく届けていくことが必要になってくるのではないか。「大体これくらいでいい」という程度の知識や、思考の枠組みのようなものを提示することを、現実的な答えとして真剣に考えるべき段階に来ているのではないか。問題は、修正主義版「物語」に代わる「歴史の全体像」をいかに示すかということに尽きるわけです。そのためにアカデミズムとジャーナリズムが連携し、新しい「歴史コミュニケーション」の輪を広げていく——。これが、これまでほかの歴史認識関連書籍が、おそらく分かっていながらあえて踏み込んでこなかった、本書が示す第三の論点です。

「歴史コミュニケーション」を広げていく

もちろん、コミュニケーションの輪といっても、「言うは易く」と言われてしまうかもしれません。しかも、アカデミズムとジャーナリズムが手を結ぶだけではダメで、より多くの人びとの繋がりが必要です。先に述べた、思慮分別を持って社会を支えている読者層の存在が、そこで大きな役割を果たすと考えています。そうなると、理屈ではなく実践の問題です。

本書のベースになっているのは、二〇一九年九月三日に立命館大学で開催された一般公開シンポジウム「なぜ『歴史』はねらわれるのか?――歴史認識問題に揺れる学知と社会」での議論です。そこに大幅に書き加え、内容を充実させました。シンポジウムの当日は、平日の昼間にもかかわらず、会場は一〇〇余名のキャパシティをはるかに上回る多数の来場者で埋め尽くされ、最後まで立ち見をお願いしなくてはならないほどでした。フロアに回した質問票を通して分かったことですが、参加者の半数近くは、研究者や学生ではなく、近隣や遠方からわざわざ足を運んで下さった方々でした。大学で開催されるシンポジウムとしては、これは異例のことだと思います。本書は、この一般公開シンポジウムで試みた学知と社会のコラボレーションの成果でもあります。

そのシンポジウムの後半では、フロアを交えて質疑応答が行われました。本書の刊行に際して、登壇者である本書の執筆者がもう一度集まり、そこでの議論をアップデートすることにしました。第六章「【座談会】『日本人』のための『歴史』をどう学び、教えるか」がそれです。シンポジウムで回収した質問票から十分に詰め切れなかった論点を洗い出し、とくに質問の多かった歴史学と歴史教育の問題を中心に論じています。

この座談会という方法も、コミュニケーションの実践の一つに違いないのですが、最も大事な実践は、繰り返して言えば、この問題に何らかの関心を持っている〝大人〟の読者層を広げていくことであると考えています。それが、「歴史認識問題に揺れる学知と社会」という問題設定から導き出される当然の帰結だからです。読者のみなさんが、本書をたたき台として活用し、今日の歴史認識問題にズバリ突き刺さる視点と方法を手に入れ、そこから「歴史コミュニケーション」の輪がさらに広がっていくことを、本書の作り手として願ってやみません。

では、前置きはこのくらいにして、第一章で歴史認識問題の現状を把握するところから始めていきましょう。

編著者

教養としての歴史問題　目次

第二章　植民地主義忘却の世界史
——現代史の大きな流れのなかで理解する

前川一郎

第三章　なぜ〝加害〟の歴史を問うことは難しいのか
――イギリスの事例から考える

前川一郎

第五章　歴史に「物語」はなぜ必要か
――アカデミズムとジャーナリズムの協働を考える

辻田真佐憲

第六章 【座談会】「日本人」のための「歴史」をどう学び、教えるか

第一章

「歴史」はどう狙われたのか？

——歴史修正主義の拡がりを捉える

はじめに

ジャーナリストの津田大介氏が芸術監督を務めた「あいちトリエンナーレ２０１９」（八月一日～一〇月一四日）の企画展の一つ「表現の不自由展・その後」が、「慰安婦」問題とかかわる『平和の少女像』を展示したことに批判が殺到し、事務局が悪質な嫌がらせや脅迫を受けた騒動は、読者のみなさんにとっても記憶に新しいことと思います。同展は、開催三日後に「来場者の安全確保のため」中断に追いやられました。さらに、九月二六日には、文化庁が「愛知県側が会場の安全などを脅かすような重大な事実を認識しながら申告しなかったなど手続きに不備があった」ことを理由に、補助金を全額不交付とする決定をしました（二〇二〇年三月、補助金約七八〇〇万円を約六六〇〇万円に減額して交付）。

この騒動の当初、日本のメディアは、脅迫や文化庁の決定を、「表現の自由」に対する「攻撃」「脅迫」「介入」「圧力」「検閲」といった文言で批判しました。確かに、この騒動の「表層」は、「表現の自由」への侵害に他なりません。しかし、脅迫や文化庁の決定の背後にある「深層」について言及したメディアは皆無でした。

『平和の少女像』への批判や事務局への脅迫の背後にあったのは、「歴史修正主義」の運動にほかなりません。それに言及したのは海外メディアの『ニューヨーク・タイムズ』だけでした。

二〇一九年八月五日の同紙は、「The Exhibit Lauded Freedom of Expression. It Was Silenced（表現の自由を賛美する展示会　中止）」の見出しで騒動を報じた記事で、安倍晋三政権が「慰安婦」問題に過敏に反応していることや、吉村洋文大阪市長（当時、現大阪府知事）が慰安婦像の設置を理由にサンフランシスコ市との姉妹都市提携を反故にしたこととの関連に言及しています。

海外メディアが、「表現の不自由展・その後」への脅迫や文化庁の姿勢と安倍政権や吉村府知事の「慰安婦像」への過剰反応を関連付けて報じているのに、日本のメディアがそれに沈黙しているのはなぜなのでしょうか。どうやら日本のメディアにとって、「歴史修正主義」は非常に触れづらい問題のひとつとなってしまっているようです。

第一節と第二節では、「歴史はどのように狙われ、なぜ歴史修正主義は触れづらくなったのか」ということを、これまでの経緯を紹介しつつ社会学の視点から考え、第三節で、今日の歴史修正主義のトレンドを検討することで、本書のテーマである「歴史はなぜ狙われるのか」という問いに接近したいと思います。

1　日本版歴史修正主義の展開とその特徴

「慰安婦」像をめぐって

日本における歴史修正主義は、一九九七年に設立された「新しい歴史教科書をつくる会」（以下「つくる会」と略称）の活動などを中心として勢力を強めていきました。「創設にあたっての声明」に『「慰安婦」問題こそ「自己悪逆史観」』と記した「つくる会」の活動目標は、〈歴史教科書の記述を自虐史観ではないものに改める〉ことでした。代表だった藤岡信勝氏は、戦後の冷戦時代の東京裁判史観とコミンテルン史観から脱却し、イデオロギー色のない新しい歴史観をつくる、と言っていました。しかし、実際には、こうした運動は、歴史学の蓄積に則って記述されてきた歴史を、自らの主張に則り都合よく書き換えることに他なりませんでした。「歴史否定論」と考えてよいものです。

日本版「歴史修正主義」として名指しされる人たちの物語＝歴史観には、特定のパターンがあります。よく用いられるのは、東京裁判史観の否定、沖縄集団自決強制否定論、南京大虐殺否定、「慰安婦」問題の否認などです。とりわけ、先の「つくる会」の「声明」にもあるように「慰安婦」問題は大きな論争になります。

「つくる会」設立直前の、「慰安婦」問題の動きを整理しておきます。一九九四年に、国連人権委員会の決議に基づき、スリランカ出身の人権専門家で、国連事務次長であったラディカ・クマラスワミ氏を特別報告者とする調査が開始され、一九九六年に「クマラスワミ報告書」が国連に提出されました。日本政府にとっては耳の痛い、厳しい内容で、付属文書一は、日本政府に「慰安婦」問題の法的責任の履行を求め、被害者個人への賠償責任があることを強調していました。「クマラスワミ報告」と前後して、日本国内では歴史教科書に「慰安婦」問題を記述する動きが加速します。一九九四年には教科書会社全社の高校日本史の教科書が、九七年には中学校社会の検定合格教科書のすべてが、「慰安婦」問題について記述しました。

こうした動きに反発し、国内の右派・保守論壇では教科書の記述を問題化する記事が増えていきます。さらに、南京虐殺七〇周年の二〇〇七年に、日本政府に元「慰安婦」への謝罪を求める決議が、米国下院やオランダ議会など欧米諸国の議会で次々と採択されたのを機に、南京虐殺否定論と「慰安婦」問題否定論は歴史修正主義者の主張の中心に据えられるようになりました。「つくる会」を中心とする右派勢力は、その活動を二〇〇〇年代後半からは「情報戦」、二〇一三年頃からは「歴史戦」と呼ぶようになり、国内外で、南京虐殺と「慰安婦」問題を否定する情報を発信し続けました。特に、あいちトリエンナーレの事案の端緒となった「慰安婦像」への批判は激しく、世界各地の「慰安婦像」の撤去が活動目標の一つになりました。

「つくる会」は、二〇〇〇年にフジサンケイグループの扶桑社から、自らの主張に沿った教科書を出版しますが、採択率は一％に届かず、その活動は一旦挫折します。しかし、「つくる会」から離反・脱会した人々が、日本会議にて「日本教育再生機構」を発足させ反転攻勢を仕掛けます。日本会議とは、〈歴史と伝統に基づいた新憲法〉の制定や〝謝罪外交〟の停止、学校教科書の〝自虐的〟〝反国家的〟な記述の是正などを主張する日本最大級の保守主義団体で、同会を支援する日本会議国会議員懇談会には安倍晋三首相も名を連ねています。

日本教育再生機構は同じフジサンケイグループの育鵬社から歴史教科書を出版します。さらに並行して、保守主義の自治体首長らと連携して各地の教育委員会や教科書選定委員会の委員を同教科書に賛成する人物に入れ替えていくことで教科書採択の環境を作り、二〇一五年には採択率を歴史六・三％、公民五・七％にまで押し上げることに成功しました。

脅迫と嫌がらせ

そうした中央突破の攻勢の一方で、「慰安婦」問題や「南京虐殺」を記述している教科書会社やその著者への批判や脅迫を開始しました。日本書籍の中学社会の教科書は、東京都の二三区すべてで採択されていましたが、二〇〇一年の検定教科書では僅か二区まで落ち込むなど、各地の教育委員会で採択率が減少し、二〇〇四年、ついに倒産に追い込まれました。経営を引き継いだ日本書籍新社は「慰安婦」問題を記述した中学社会の出版を続けましたが、力尽きて二〇一〇年に社会科教科の出版から撤退してしまいました。二〇〇一年検定教科書の著者の一人だった歴史学者の吉田裕・一橋大学大学院教授（当時）は、自宅を写した写真が送りつけられてきたり、「偏向教科書」「コミンテルン史観」「愛国心のかけらもない」などといった言葉による教科書会社への脅迫によって出版社が倒産に追い込まれてしまったことに責任を感じ、その後、教科書の執筆をやめてしまいました。

前述の通り、一九九七年には検定に合格したすべての中学社会の教科書は「慰安婦」問題を記述していましたが、二〇〇〇年代半ばからその数は減り始め、日本書籍新社の撤退により、二〇一二年にはすべての中学社会の教科書から「慰安婦」の記述は消え去りました。リベラル勢力や現場の教員らはこれを強く批判しましたが、「つくる会」は活動の成果だと胸を張りました。

保守論壇やその支持者らが「歴史戦」と呼ぶ、「慰安婦」問題を記述する教科書への攻撃は今日も続いています。

二〇一三年に教科書出版を目的に設立された「学び舎」が発行する中学歴史教科書が、二〇一四年の検定、二〇一五年の採択を経て、二〇一六年から中学校で使用され始めました。四年ぶりに、一社だけとはいえ中学社会の教科書に「慰安婦」の記述が復活したのです。が、瞬《また》く間に、その教科書や、教科書を採用した学校が標的にされることになります。

二〇一七年、学び舎の教科書を採用した名門進学校の私立灘中学校（神戸市）が、それを批判、非難する大量のハガキが送りつけられるという嫌がらせを受けました。ハガキには大別して、植民地時代の台湾や朝鮮半島の絵葉書と、同じ文言が印刷されたハガキを使うパターンがあり、組織的な活動であることは明白でした。また、ハガキの文言には「反日極左」と揶揄する言葉があり、歴史認識に関する議論ではなく、イデオロギーを剥き出しにした嫌がらせであることが窺えました。保守主義者らによる、こうした実力行使を伴う圧力は、教科書会社や執筆者、学校現場を萎縮させていきました。この問題の詳細は、『教育と愛国――誰が教室を窒息させるのか』（斉加尚代・毎日放送映像取材班著、岩波書店、二〇一九年）が綿密に記述しています。

利用された大衆文化

歴史教科書の〝書き換え〟を〝主戦場〟に据える一方で、歴史修正主義の言説は、九〇年代末から二〇〇〇年代初頭にかけ、商業出版やサブカルチャーを通して普及をしていくことになりました。歴史否定論は、歴史学の書籍が出される学術出版とは別の「場」で言説を展開することによって、大衆に膾炙《かいしゃ》していったと言えます。

一九九〇年代以降、出版業界、殊に論壇誌や総合誌は構造的な不況に陥りますが、そのような状況下で、論壇誌『正論』（産経新聞社）は大島信三編集長時代の九〇年代後半に歴史認識問題を扱って、過去最大の発行部数を得ました。この時代に、後に国会に出て、次代を担う保守政治家と期待され防衛大臣に抜擢された稲田朋美氏も盛んに寄稿しています。また、総合誌『ＳＡＰＩＯ』（小学館）で『新・ゴーマニズム宣言』を連載していた小林よしのり氏は、九六年に「慰安婦」問題を描いたあと、九八年の『戦争論』（幻冬舎）がベストセラーとなり耳目を集めました。さらに、フランスの『ル・モンド』誌が取り上げるなど、国内だけでなく、海外にも日本の歴史修正主義の現象は発信されました。

保守系の論壇誌や小林氏が歴史認識問題に参入することになった背景は、別途詳しく論じられなければなりませんが、保守論壇誌では冷戦構造の崩壊後、その主要な関心が、米ソから韓国、中国、北朝鮮へと変化していきました。社会学者の伊藤昌亮・成蹊大学教授は『ネット右派の歴史社会学』（青弓社、二〇一九年）で、国内における「反日」というテーマで議論されてきた内容の変遷を実証的に明らかにしています。「反日」というテーマは、八〇年代のアメリカによる日本に対する姿勢を論じるものでした。しかし九〇年代には韓国や中国の反日姿勢が中心的に扱われていきます。その後、国内の雰囲気は嫌韓、反中へと推移していきました。小林氏の「慰安婦」問題への参入についても、その動機は、「歴史」への関心が中心というよりも、それ以前に扱っていた「リベラル市民」への反発というテーマから連続しているものだと指摘しています。

このように、一九九〇年代以降、歴史否定論が大衆に広く知れわたっていった背景に、反リベラル勢力と歴史修正主義、右派・保守思想の野合があったことが、これまでの社会学の複数の研究で明らかになっています。繰り返しになりますが、それは、歴史学とは別の、大衆消費文化のなかで展開していったのです。歴史認識問題の書き手に、専門家である歴史学者はほとんどいません。常連の書き手には「つくる会」の第三代会長で法学者の八木秀次氏や、ジャーナリストの櫻井よしこ氏らがいました。そうした書き手の論考は、歴史について書いていながら、主張しているのは史実の解釈ではなくイデオロギーでした。

そして、非専門家が語る歴史は、刺激的かつ煽情的な商業メディアの展開手法を用いて読者を囲い込み、勢力を強めていきました。言い換えれば、歴史は、学会のような場で学者が互いの仕事を評価しあう「文化生産者の評価が重視される歴史」から、書籍や雑誌が売れることを重視する「文化消費者の評価が重視される歴史」へと転換していったと言えます。それが、歴史修正主義が大衆に敷衍していった仕組みです。サブカルチャーが歴史修正主義の敷衍に大きな役割を果たしたことについては、拙著『歴史修正主義とサブカルチャー』（青弓社、二〇一八年）で、詳細に検証しています。

歴史修正主義元年

歴史修正主義の展開には、政治エリートの関与も大きな役割を果たしました。

二〇〇七年三月一六日、第一次安倍晋三政権は、辻元清美・衆議院議員の質問への答弁書（内閣衆質一六六第一一〇号）を閣議決定しました。そこには、「（一九九三年の河野談話の発表までに）政府が発見した資料の中には、軍や官憲によるいわゆる強制連行を直接示すような記述も見当たらなかった」と記述されています。すなわち、「狭義の強制はなかった」を政府見解としたわけです。これが、政府の「公式見解」で、歴史が〝修正〟され始めた出来事で、二〇〇七年は「公式見解の歴史修正主義元年」となったと言ってよいと思います。このとき、読売新聞は社説で軍や官憲による強制連行を否定する立場を明確にしました。この年は、前述の通り、日本政府に「慰安婦」問題の謝罪を求める決議が米国下院など欧米諸国の議会で採択された年でした。

安倍首相の足跡

もちろん、ここに至るまでには、九〇年代からの歴史認識と政治をめぐる動きがありました。一九九三年に発足した非自民連立政権で首班となった細川護熙首相は、就任直後の記者会見で歴史認識を問われ、アジア・太平洋戦争について「侵略戦争であった。間違った戦争であったと認識している」と発言しました。これに危機感を抱いた自民党の右派勢力は、山中貞則衆院議員を委員長、奥野誠亮衆院議員を顧問とする「歴史・検討委員会」を発足させます。奥野氏は国土庁長官在任中の一九八八年に国会で日中戦争について「侵略の意図はなかった」と発言し、内外から強い批判を受け事実上更迭された経歴を持つ政治家です。この委員会は〈東京裁判が示した歴史観を改め、正しい歴史観を確立する〉ことを目的としていました。

同委員会には、当選一回生だった安倍晋三衆院議員ら、多くの若手議員も委員に名を連ねました。奥野氏らは、戦前世代の〝正しい〟歴史認識を若手議員に引き継ぐことを、同委員会の役割と考えていたと言われています。つまり、〝英才教育〟です。

翌九四年、安倍氏はその年に設立された「終戦五〇周年国会議員連盟」の事務局長代理に抜擢されます。この議連は、九五年に自民、社会、さきがけ三党連立の村山政権下の国会が採択した「歴史を教訓に平和への決意を新たにする決議」（戦後五〇年国会決議）に反対するために結成され、国会決議を「戦争謝罪決議」と呼び、各地で集会や署名運動を展開しました。その後、安倍氏は一九九七年に自民党の「日本の前途と歴史教育を考える議員の会」の事務局長に就任しています。つまり、安倍氏は九〇年代からの歴史認識と政治をめぐる動きの、中心的存在の一人であり続けました。

二〇〇六年に安倍氏は首相の座につきますが、翌〇七年に内閣は倒れます。しかし、二〇〇九年九月から約三年半の民主党政権時代末期に自民党総裁に返り咲いた安倍氏は、二〇一二年の総選挙に大勝して、再び首班に指名されました。そして、第二次安倍政権下の二〇一五年、戦後七〇年談話が発表されます。それは、侵略の歴史を修正し、満州事変以後に焦点を絞ることでそれ以前の植民地化には触れず、さらには戦後責任を放棄するような文面でした。右派論客の一人、渡部昇一氏はこれを賞賛しました。

このような歴史を否定するかの如き安倍内閣の姿勢は、東アジア地域を中心に軋轢を生むことになります。歴史は共有されておらず、植民地責任も取っていないからです。

同じ年の年末、日韓両政府は突如として、「慰安婦」問題に関して外交上の合意を発表し、内外を驚かせました。合意は①日本政府は「慰安婦」問題の責任を痛感し、安倍首相は日本の総理大臣として改めておわびと反省の気持ちを表明する、②韓国政府が元「慰安婦」支援の財団を設立し、日本政府が資金を一括拠出する、③日韓両政府は②の実施を前提とし、この問題が最終的かつ不可逆的に解決されることを確認する、④韓国政府は在韓日本大使館前の少女像に対し、適切に解決されるよう努力する——等の内容でした。

しかし、日韓両政府の合意交渉過程で、元「慰安婦」や支援団体など当事者の意見を聞くことはありませんでした。

合意についての評価は日韓で対照的でした。日本では与野党ともに好意的に評価し、世論調査でも肯定的な評価が多数を占めました。一方、韓国では与党が合意を歓迎したのに対し、最大野党の「共に民主党」は「決して受け入れられない」と失望を露にしました。

こうした状況は、合意を推進した朴槿恵《パククネ》大統領の罷免により一転します。「『慰安婦』問題について日本政府に法的責任を問う」ことを公約の一つに掲げ当選した、文在寅《ムンジェイン》大統領は、就任後、「慰安婦」問題について「問題の本質は法的責任人認定と公式謝罪だ」と発言するなど、

「最終的かつ不可逆的に解決」という二〇一五年の合意は覆ることとなりました。

新たなフェーズ

ここまで、「新しい歴史教科書をつくる会」の動向、大衆文化への浸透、政治の関与という三つの視座から、「日本版歴史修正主義の展開」を追いましたが、今日の状況は新たなフェーズに入ったのではないかと、私は感じています。

今年（二〇二〇年）二月、文部科学省の教科書検定結果公表を前に、「つくる会」が記者会見を開き、会員が執筆した自由社の中学歴史教科書が検定で不合格となったことを公表しました。

これには、背景があります。二〇一六年に、文部科学省は義務教育教科書検定制度の細則を一部変更しました。変更以前は、いったん不合格とされた場合でも、検定意見を付された記述を修正し、再申請することが認められていましたが、変更により、一頁当たり一、二カ所以上に検定意見が付された場合は一発不合格となり、再申請が認められなくなったのです。自由社の教科書は、ルール変更後、一発不合格適用の第一号となりました。ついで、竹田恒泰氏の令和書籍の歴史教科書も不合格でした。

しかし、問題はさらに複雑です。変更前の最後の中学校教科書の検定では、「つくる会」の教科書とともに、「慰安婦」問題を唯一記述している「学び舎」の歴史教科書も、一旦不合格となった後、再申請で合格していました。つまり、文科省に付された検定意見が多かったということです。「つくる会」と「学び舎」の歴史観は大きく異なりますが、個性的な教科書を作っている点では共通しており、それが多くの検定意見を付される理由だと推察されます。そして、一六年の制度変更は、両社の教科書に多くの検定意見が付いたことがきっかけだと、考えられています。

自由社の教科書が検定不合格になったとのニュースを耳にして、私は大変驚くとともに、嫌な予感を感じました。学び舎の教科書が検定不合格となる可能性を考えたからです。多額の資金を投入して作られる教科書の検定不合格は教科書出版社にとって死活問題です。不合格となり教科書が出版できなければ経営は成り立ちません。結果、教科書会社の文部科学省への「忖度」がこれまで以上に大きくなることが危惧されます。

不合格のリスクを避けるため、教科書出版社の安倍政権や文部科学省への「忖度」が強まれば、各社の教科書から個性が失われ、政府文科省の意向に沿った画一的な記述になってしまう恐れがあります。幸い、私の心配は杞憂に終わり、学び舎の教科書は検定に合格しましたが、検定意見は前回の半数ほどに減り、検定に合格したものの、依然として他社よりも多い状態です。また、新たに中学の歴史教科書にも参画した山川出版社が学び舎に続き日本軍「慰安所」制度について記述できたことはよかったように思います。それでもなお、「つくる会」教科書の検定不合格の衝撃は大きく、今後、教科書出版各社の教科書製作に影響を与える可能性は小さくありません。これは、歴史修正主義の浸透というよりも、教科書検定にたいする国家権力の強化という点で、さらに深刻で危険な状況であると思います。

2 「歴史」をめぐるヘゲモニー争い

第一節で、日本の歴史修正主義の主張と、その社会への浸透の経緯を概観しました。修正主義は、歴史学が史実の研究により積み重ねてきた歴史を否定するばかりではなく、大衆文化に紛れ込んで、その歴史観を社会に広く浸透させ、政治と結びついて国家の在り方や政策にまで影響を与えています。こうした現象は、歴史修正主義が歴史学にとって大きな問題であるのと同時に、歴史学だけの問題に留まらないことを示しています。

では、社会学や文化研究にとって、延いては、私たちの社会や文化にとって、歴史修正主義はどのような問題なのでしょうか。本節では、その問いを念頭に、「歴史はなぜ狙われるのか」を考えます。

既述の通り、「歴史修正主義」亢進の現象は、教育やメディア、政治の分野に広がっています。大衆文化に浸透し、大衆に膾炙《かいしゃ》していくことによって影響力を獲得し、歴史の評価軸を、「文化生産者による評価が重視される歴史」から「文化消費者による評価が重視される歴史」へ転換することに成功したのが、歴史修正主義の特徴でした。

私たちの社会や文化には、以前から「文化消費者による評価が重視される歴史」に類するものがありました。歴史小説や、歴史を題材とする漫画や映画などです。けれど、それらは歴史を題材にしていますが、歴史を書いたものではありません。歴史学が提示する歴史や史実を基に創作したフィクションであり、エンターテインメントの物語です。

しかし、歴史修正主義者の記述する歴史は、創作物としてではなく、見かけ上は「歴史」として提出されています。『〇〇の真実』のようなタイトルの著書は、さも歴史書であるかのような誤解を与えます。しかも、これらの類の書籍は、学術書とは比較にならないほど、よく売れます。歴史学の書より、「歴史修正主義」の書の方が、ずっと人々の身近にあるということです。因みに、百田尚樹氏のベストセラー『日本国紀』を歴史書と思われている人は多いと思いますが、図書を分類するCコードでは「随筆」に分類されています。しかし、例えば東京大学の生協でも、歴史書の棚に並べられたりしています。

では、社会学はこうした現象をどのような問題として捉えることが可能なのでしょうか。いくつか考えられることがあります。

ヘゲモニー争い

第一に、この現象は、ある種の「ヘゲモニー争い」だと捉えることができます。朝日新聞の報道によれば、あいちトリエンナーレで、『平和の少女像』が展示されたことについて、河村たかし名古屋市長は「どう考えても日本人の心を踏みにじるものだ」と発言しました。松井一郎大阪市長は「我々の先祖がけだもののように扱われた展示物」だと言っています。こうした発言は、「日本人」と「先祖（＝過去の日本人）」を一直線上に繋げ、この価値観を大切にする者と、そうでない者とを区別する境界線をつくるための「絵踏み」として機能することになります。このように、歴史修正主義は、暴力的に「こちらか／あちらか」という状況を創り出すことで、主導権を握ろうとしているのです。

では、その狙いはどこにあるのでしょうか。端的に言って、歴史事実の相対化と敵対性の創出ということができます。歴史修正主義者の目的は、真面目に歴史の真実を明らかにしようとするものではありません。彼らの狙いは、「（史実には）確定していない部分がある」「議論が必要だ」等の指摘を繰り返すことで、歴史的な事実を確定させないことにあると思われます。歴史修正主義者の歴史観にとって不都合な史実を「うやむや」にすることで、歴史についての知識が十分でない者の思考を停止させ、沈黙させることで、自らのイデオロギーに基づく歴史観を大衆にじわりじわり拡げていくことこそが、最大の目的だからです。

事実、歴史修正主義者が、歴史学の通説を否定するような史料を提出したことはありません（提出された議論も反論がなされています）。しかし、繰り返し疑義を提示することで、多くの人々に「本当のところはよく分かっていない」「難しい問題だ」という印象を与える（＝思考の停止）ことには成功しています。結果、〈「慰安婦」問題はなんとなくヤバそうだから、触れないでおこう〉（＝沈黙）という状態を作り出し、そもそも歴史学で認められていない「慰安婦」問題否認論を徐々に浸透させていこうとしているのです。

排外主義と歴史修正主義

第二に、この現象の問題は、排外主義との関係で捉えることができます。排外主義とは、国家は国民だけで構成され、外国出自の集団は国民国家の脅威であるとするイデオロギーです。社会学者の樋口直人・早稲田大学教授は、二〇一四年に〈日本版排外主義では、その運動に運動員が参加する契機に、歴史修正主義が関与した〉との主旨を指摘しています。つまり、例えば、「慰安婦」問題の否認などの歴史修正主義者の言説に触れたことが契機となって、排外主義運動に参加した人がいるということです。その後、ネット右翼に関する研究を進めた樋口氏はその著書で「『動機の語彙』として歴史が選択されたと考えるべき」「(在日外国人への)バッシングを正当化する材料として歴史があとから利用された可能性がある」と、考えを改めています。つまり、歴史認識が動機で運動に参加したのではなく、参加の動機を正当化するために、歴史修正主義者の言説を利用したということです。

鶏が先か卵が先か、実相についてはさらなる研究が求められますが、排外主義運動の展開を見る限り、「外国出自の集団は国民国家の脅威」だとするイデオロギーが先にあり、修正主義者の提出する歴史は、イデオロギーを正当化するための道具に使われている側面があると見るべきだと思われます。

人権問題と歴史修正主義

第三に、この問題は「人権」とのかかわりで捉えなければなりません。あいちトリエンナーレで『平和の少女像』を展示した主催者が脅迫されたり、文化庁が補助金の交付を取り消したり（後に減額）した際、マスメディアはそれを「表現の自由への侵害」の問題として報道しました。また、脅迫や文化庁の姿勢の背後には、歴史修正主義の勢力がありました。しかし、「原因」としての歴史修正主義にせよ、「帰結」としての「表現の自由への侵害」にせよ、それらの議論に、「慰安婦」問題そのものに触れるものはありませんでした。

「慰安婦」問題＝戦時性暴力の問題が女性の人権問題であることは論を俟ちません。さらに、植民地問題でもあります。加害者は日本であり被害者は植民地の女性であったことは明白です。しかし、前述した河村・名古屋市長や松井・大阪市長の発言では、あたかも日本人が被害者であるかのように、議論がすり替えられています。また、トリエンナーレで起こった事象を「表現の自由」問題に帰結し、『平和の少女像』への攻撃の「方法」だけを問題とし、批判の正当性を問題視しなかったメディアの姿勢は、ある種の思考停止と言えます。

このように、人権の問題を、歴史認識や表現の自由への問題へスライドすることは、人権問題を不問に付すことと同じです。「慰安婦」問題は、国連を中心として、国際社会が繰り返しその解決を促してきた問題です。国際社会は、一九九三年のウィーン会議以降、「慰安婦」問題を人権問題と認識しています。

それに対して、歴史修正主義者の勢力は、「情報戦」や「歴史戦」と称して保守論壇を盛り上げたり、出版やネットでの情報発信を通じて大衆文化に言説を流布したり、日本各地で、「慰安婦」問題は捏造だと主張するパネル展を盛んに開催したりする一方で、海外では宗教団体の「幸福の科学」と結びついて活発なロビー活動を行ったりしています。日本の外務省はそのロビー活動に追随しています。

このように、国際社会が人権問題と認識している「慰安婦」問題が、日本では歴史認識や表現の自由の問題にすり替えられようとしているのです。

歴史修正主義と女性蔑視

社会学の視点から、もう一つ指摘しておきたいのは、歴史否定論・歴史修正主義とミソジニー（女性蔑視）の関係です。歴史否定論とミソジニーには強い親和性を見て取ることができるのです。

歴史社会学者の趙慶喜・韓国聖公会大学助教授は、明石書店のwebマガジン『Webあかし』に掲載された「否定の時代にいかに歴史の声を聴くか」と題した論考で、「日韓の歴史修正主義の過程からもミソジニーやジェンダー・バックラッシュ（ジェンダー運動に反対する運動、またはその勢力）との重要な相関関係を読み取ることができる」と指摘しています。

指摘の通り、日本では、ジェンダー／フェミニズム・バックラッシュが二〇〇〇年頃に起こり、そのアクターは右派・保守陣営でした。バックラッシュが始まった時期は、性教育への批判が高まった時期と重なりますが、そこでも、保守派は「寝た子を起こすな」という論調で性教育を批判しました。性教育批判も、歴史否定論やジェンダー・バックラッシュと親和性が高いということができます。

『平和の少女像』の問題の文脈に登場した、河村・名古屋市長らの、日本人が被害者であるかのような物言いは、性的暴行事案の文脈で、セカンドレイプを行う者が語る「女性にもスキがあったのではないか」「誘惑してくる女が悪い」「痴漢冤罪の方が問題」などといった理屈と変わりがなく、そこにはミソジニーが顕在化しています。

歴史修正主義とミソジニーの関係については、今後、より詳しい研究が求められますが、歴史否定論とミソジニーに親和性が強いことは、指摘しておいてよい特徴だと思います。

3 歴史から神話への「気づき」

希求しながら歴史から逸れていく歴史修正主義

前節では、歴史修正主義が社会学にとってどのような問題であるかについて、いくつかの視点から論じました。「慰安婦」問題や南京虐殺といった昭和史の問題に限らず、歴史の事実をめぐる論争は、これまでにも繰り返されてきました。その意味において、歴史修正主義は歴史学にとっての問題ではありますが、すでに指摘した通り、歴史修正主義の主張は、歴史学や学術出版からは距離を置かれています。つまり、その主張が事実に基づくものでないため、あまり相手にはされていません。

他方で、社会学の視座から見た場合、歴史修正主義の運動は、歴史観にまつわる問題を題材に、社会に「われわれ／かれら」「こちら／あちら」を作ることで、問題に関わることを嫌う人々に沈黙を強いて主導権を得ようと試みていること、人権の問題である「慰安婦」問題を歴史認識の問題にすり替え、加害者である日本が被害者であるかの如き言説を繰り返していること、排外主義や差別、ミソジニーの「隠れ蓑」のように機能する「道具」や「材料」として利用されていることなどの問題を内包していることが見えてきました。

では、歴史修正主義者の目的はどこにあるのでしょうか。なんのために「歴史を狙う」のでしょうか。歴史修正主義者の主張は、基本的に自国のアイデンティティと結びついています。「日本はそんな国ではない」「日本が貶められている」「日本は凄いのだ」などの典型的な言説がそれを示しています。

一般に、このような言説は「愛国心」の発露と考えられますが、歴史修正主義者のそれは、思想史学者の将《しょう》基《ぎ》面《めん》貴巳《たかし》・オタゴ大学教授の言葉を借りれば「ナショナリズム的パトリオティズム」ということになります。それは市民的な祖国の「共通善」を重視する「共和主義的パトリオティズム」とは異なり、ネイション（国民・民族）の独自性や優越性に固執する愛国心です。もし、歴史修正主義者の愛国心が「ナショナリズム的パトリオティズム」と言えるとすれば、彼らは日本というネイションの〝独自性〟や〝優越性〟を、殊に歴史の文脈で、どのように担保しながら、「ナショナリズム的パトリオティズム」を方向付けようとしているのでしょうか。

本節では、歴史を希求する姿勢を見せながら、歴史から逸れていく歴史修正主義の姿を考えます。

「縄文ブーム」

近年、「縄文ブーム」が静かな広がりを見せています。二〇一八年七月から約二カ月間、東京国立博物館で開催された特別展「縄文―1万年の美の鼓動」が三五万人を動員して話題になった頃から、メディアでも取り上げられるようになりました。ミステリアスな古代史と、「縄文女子」や「土偶女子」という呼ばれ方をする人々に典型的にみられる土器や土偶などへの美術的関心がブームの牽引役であることは言うまでもありません。

しかし、こうしたブームに便乗した、政治イデオロギーをまとった〝縄文本〟も散発されます。そうした類の著作の関心は、土器や土偶ではなく縄文人のDNAに向けられています。DNAの分析により、縄文人に日本人のルーツを求め、日本人と沖縄人、アイヌ人は同根であることや、天皇家が万世一系であり、有史以来、一つの王朝を保ち続けている国は世界中に日本しかないと主張します。

もちろん、DNAが同じであること、または非常に似通っていることと、同じ王朝（政体＝国家）が続いてきた（天皇制が続いてきた）ことには、まったく関係はありませんが、イデオロギー色の強い〝縄文本〟の著者は、日本というネイションの独自性を主張するために「縄文」の話を好みます。そして、中国大陸から朝鮮半島を経由して日本列島に渡来した弥生人が今日の日本人のルーツだとする「弥生人ルーツ説」を〝戦後の左翼史観〟と関連付けて批判します。

私は門外漢ですが、DNAを分析する最新の分子生物学の手法を使った研究では、今日の日本人のルーツは、縄文人と弥生人の混血であるという説が有力なのだそうです。もちろん、謎ばかりの古代史ですから、新しい研究手法を取り入れた研究は今後も盛んに行われ、新しい発見も報告されるでしょう。しかし、本来、古代史研究とイデオロギーはまったく別の次元にあるべきです。左派右派どちらの立場であれ、イデオロギーが歴史研究の成果を利用してきた側面は否定できませんが、イデオロギーを補完するために、歴史を創作したり改竄したりすることがあってはなりません。

政治的イデオロギーをまとった〝縄文本〟は、歴史の専門家ではない著者により、PHP研究所や展転社、扶桑社といった右派の砦《とりで》といってよい出版社から多数出版されています。一つひとつを詳細に検討する紙幅はありませんが、それらの著作の特徴は、「嫌韓・反中」と呼ばれる排外主義志向であり、「縄文人ルーツ説」を創作し、韓国・北朝鮮や中国と日本は〝歴史的〟に見てもルーツを異にしており、日本は特別な独自の存在であることを主張していることです。それは歴史学でも考古学でもありません。

ブームや商業主義に便乗し、専門家ではない書き手による著作を右派出版社から出版し、大衆に膾炙させていこうとする手法は、すでに見た、「慰安婦」問題を〝捏造〟であると言い、日中・太平洋戦争を侵略ではなく自衛のための、あるいはアジア解放のための戦争であったと主張する歴史修正主義が大衆文化に浸透していった手法とまったく同じです。「縄文ブーム」という消費文化に便乗して、その陰に隠れて、政治イデオロギーが大衆文化に混入されています。これも歴史修正主義と呼ぶことができるかもしれません。

ネイションの独自性を希求する右派の「ナショナリズム的パトリオティズム」の近年のトレンドは、近現代史の歴史認識の争いから、古代日本列島や縄文人へと移行あるいは拡張した感があります。その言説は、真正かつ神聖であることが重視される「神話」の世界に近づきつつあるようにすら見えます。

いずれにせよ、このような歴史的事実を取捨選択し都合よく利用して歴史を「創作」するフォーマットを使えば、新しい素材が提供されるたびに何度でも都合の良い歴史を再生産できるということになってしまいます。そして、そのようにして創られた〝歴史〟が大衆文化に、あるいは市民に浸透し受け容れられていくならば、歴史はもはや、事実を基に考察・研究する科学ではなく、「信念の物語」の「部品」となってしまいます。

歴史を〝超える〟歴史修正主義

今般の歴史修正主義のもう一つの特徴は、スピリチュアル系出版との親和性です。二〇〇〇年代後半から、スピリチュアル系出版社らが〝ネトウヨ（ネット右翼）本〟を盛んに出版しています。具体的には、ハート出版、ヒカルランドといったスピ系出版社や、致知出版などの自己啓発系出版社、経営体制が変わった後の青林堂や新設の悟空出版などの新興出版社が目立ちます。スピリチュアルに関しては、二〇〇〇年代中盤に再ブームが起こりました。そうした流れとネトウヨ本が話題になり出した時期は絶妙に重なっています。

スピリチュアル系の出版物を主力商品とする出版社の〝ネトウヨ〟本参入の動機は、必ずしもイデオロギーではなく、出版不況を背景とした経営判断である側面があります。それについては、第五章で辻田さんが詳しく分析しています。一例だけ挙げると、一九六〇年代に伝説的漫画雑誌『月刊ガロ』を創刊し、自民党保守政権の日米安保条約更新に激しく反発した全共闘世代に強い支持を受けた青林堂は、長い不遇の時代を経て二〇一〇年頃から右傾書籍・雑誌やスピリチュアル本に経営の活路を見出しました。現社長の蟹江幹彦氏は、二〇一五年一月の東京新聞のインタビューで「（路線変更は）経営上の問題」と説明しています。

しかし、必ずしもイデオロギーを動機としていないとしても、スピリチュアル系と歴史修正主義の親和性が高いことは事実です。

スピリチュアルの世界は、人の心の世界ですから、信じるも信じないも個人の判断であり、批判されることではありません。しかし、それが歴史修正主義やナショナリズムと結びつき、歴史の世界に混入してくることには問題があります。スピリチュアルの世界を窓口として、歴史修正主義が大衆文化に浸透する経路を与えてしまうからです。とりわけ、海外からのスピリチュアリティ言説の輸入は、ローカルな文化ナショナリズムと結合する側面を持っています。キリスト教圏のように宗教が権威である場合は、個人消費であるスピリチュアリティは先住民族や東洋思想を再評価することで主流文化への批判＝価値の相対化に繋がる部分もありますが、東洋で同じことが起こると、日本の自然観や神道関連の聖地（＝パワースポット）が称揚され、ナショナリズムの源泉になります。

森友学園問題で、〝愛国教育〟の強い信奉者であることが知られることになった安倍首相の妻昭恵氏の〝精神世界〟への傾倒はあまりにも有名な話です。朝日新聞のＷＥＢマガジン『AERA dot.』によると、二〇一七年六月の岐阜市での講演で「本当の意味で日本を取り戻し、日本の精神性がもっと表に出てきたとき、世界は平和になり、そして、今のこの地球環境も、もっと良くなっていくのではないかというふうに思っています。（中略）何か大きな力が働いて、主人は天命をいただいている。それがこの日本のため、世界のためになってこなくてはいけないと思っています」と発言しています。

森友学園の籠池泰典氏が〝一〇〇万円〟を返しに行ったことで、これもまた有名になった、昭恵氏が経営するオーガニック居酒屋「UZU」は、異様に「土」に拘っています。昭恵氏が縄文時代から伝わる「日本古来の大麻」に入れ込んでいたのも有名な話です。

「土」や「血」への拘りが容易に民族主義や排外主義と結びついてきたことは、良く知られていることです。その典型的な事例は、戦前のナチスドイツに見られます。一九三三年の「ライヒ世襲農場法」の目的は「農耕共同体を、ドイツ民衆の血の源として保全する」ことでした。

このように、スピリチュアリティとナショナリズム、排外主義、歴史修正主義には高い親和性があります。ただし、それらは事実に基づかないという面があります。つまり、非科学的です。是非は別として、精神世界の特徴は「信じること」にあります。そこでは、人々は自分の信じたい世界を信じ、見たい世界を見ることができます。そこで語られる歴史は、「私が見たい歴史」に過ぎず、社会科学の歴史とはまったく別のものです。このようにして、歴史修正主義は「歴史を超えて」行っています。

さらに、自己啓発本を多数出している出版社にも右派言説や排外主義的な書籍を出版する傾向があります。前述した悟空出版などはその典型例であり、ケント・ギルバート、高橋洋一、小川榮太郎、ジェイソン・モーガン、高須克弥、ヘンリー・S・ストークス、呉善花などなど右派・保守が重用する著者だらけではないでしょうか。自己啓発系とスピリチュアル系と共通するのは、「気持ちの持ち方ひとつで世界は変わる」「気づきを得る」という信念です。こうした信念は多くの場合、ビジネス書で展開されていますが、自己啓発で変わるのは世界ではなく、自分です。スピリチュアルでも同じく自分が変わることで、世界は違って見えてくるということに過ぎません。しかし、個人が変わっていく、気づきを得て、悟り開くための道具立てが文化ナショナリズム関連のものであれば、個人を支える「何か」は、国家や文化の独自性ということになるでしょう。

その論理構造は、信念が事実に先立つという点で、スピリチュアル系や歴史修正主義、ナショナリズム的パトリオティズムのそれと相似です。その親和性によって、商業分野においてこの三者が結びつき、大きな市場を作っています。

このように見てくると、歴史修正主義を含む右派思想は、さまざまなものを国家や文化の独自性という点に節合または収斂させて形成されているように見えます。しかも、古代史や神話、スピリチュアルのように、歴史修正主義者が「主戦場」とする近現代史の歴史認識の範疇を容易に飛躍させる要素も含んでいるのが昨今のメディア言説の特徴と言えるかもしれません。

スピリチュアリティが歴史を媒介にしながら、ナショナリズム的パトリオティズムと節合するのは、必然性や選民性と関わるのではないかと思います。昭恵氏が「神様に動かされてる」

「私は、大きな自然の一部であって、〝動かされてる感〟がすごくある」などの表現を使うように、スピリチュアル系の思考は、個々人の想いを超えて実在する決定的な何か（例えば、前世のような）に人生が影響されていると考える傾向があります。故に、受動系の表現が多用されるのでしょう。

青林堂が出している矢作直樹・並木良和『失われた日本人と人類の記憶』にしても、縄文に着目し、日本が世界の雛型であり、観察者の意識が変われば歴史的事実も変わると語られています。そのように「上の存在」が述べているからだそうです。

歴史修正主義もそうですが、ここに表れているのは、運命やイデオロギーやアイデンティティや文化の独自性といったものが、本質的かつ演繹的なものとして理解されているのではないか、ということです。あるいは、確証バイアスによる信念の補強と言ってもいい。もし価値が先行し、そこから演繹を行うのであれば、必然性や選民性を獲得することができ、また都合よく解釈を施すことができることになるでしょう。

ここに「歴史はなぜ狙われるのか」という問いへと接近するヒントがあるのではないでしょうか。事実にたいして信念が先立ち、そこから演繹し、それを正当化するために歴史を持ち出す方法で「選別的思考」（第三章参照）を行うことが、歴史修正主義や右派・保守思想にはあり、それを実体化するために節合するものは、自己啓発でも、スピリチュアルでも、ネットでも、縄文でもよいという態度を読み取ることができます。

4　専門知はもはやいらないのか

もう少し複雑な世界

本章の課題は、「歴史はどう狙われたのか」「歴史はなぜ狙われるのか」を考えるものであり、そのため歴史修正主義と学知の間の溝を考えてきたつもりです。しかし、すでに見てきたように歴史をめぐる現状は、この二項対立だけで語られるものではありません。さまざまなものが混在となって私たちの眼前に顕在化しています。

それは言い換えてみると、右派イデオロギーや、反知性主義として歴史修正主義が描かれる図式だけではもはや捉えられない状況があるということだと思います。正直なところ、私自身も拙著のなかではそのような意識がありました。少なくとも九〇年代までの分析はそれである程度説明がつくところもあったからです。

しかし、現在の状況はもう少し複雑だと言わざるを得ません。これは日本だけの話ではなく、アメリカのトランプ政権やイギリスの「ブレグジット」現象から分かるように、正しい情報に基づかない選択が社会を動かしている側面があります。あるいは、両現象とも専門家への批判は非常に強かったと記憶しています。

すでに社会学の実証研究（社会意識調査）などでも指摘がされているように、左右の対立、「右傾化」、イデオロギー・ラベルの理解は、学知の定義と一般的理解に相当な乖離が生じています。例えば、社会学者の田辺俊介・早稲田大学教授は、左右対立は確証バイアスによる「均衡幻想」を作りだす陥穽への注意を指摘していますし、政治学者の遠藤晶久／ウィリー・ジョウ両早稲田大学准教授の調査では、有権者の意識する自民党と共産党の偏差は年々縮んでおり、さらに四〇代以下では「維新」が最も「革新」政党であると理解されていることが分かっています。私が分析したネット右翼の言説でもまた、左右のイデオロギーから自由であることを盛んに主張するものが数多くありました（共著『ネット右翼とは何か』参照）。

この矛盾を含む複雑な現実がもっとも分かりやすく顕在するのが、新自由主義体制下の政治です。よく指摘されているように新自由主義は、旧来のイデオロギー理解だけで説明できるものではありません。富裕層と本来対立しなければならないはずの階層の人々が、本来連帯すべき下層階級や外国籍の人びとに怒りの矛先を向け、格差の正当化や不平等の不可視化をもたらしています。こうした状況は自らを最も苦しめる敵を支持するという状況を招きかねないわけですが、「自己責任」という標語の下に問題解消されるわけです。

平等観の問題?

以上の状況を鑑みたところ、考えるべきことは「平等」という観念ではないでしょうか。あるいは、その幻想と言ってもよいかもしれません。これはあくまで私の仮説です。例えば、自己責任や格差の正当化は経済的な競争機会の平等を前提にした上で表明可能です。あるいは、現代レイシズムもすでに外国人差別はない、という視角を起点としています。もちろんこの二例は幻想であり、実際のところは不平等な分配による機会の不平等が前提にあるし、(二世三世を含む)移民を「二流市民」として扱う差別があるわけです。そして、こうした矛盾の目眩《めくらま》しとして、愛国主義や排外主義が横行することはすでに指摘されています。

学知との関連の話に戻しても、似たような現象はあると思います。例えば、漫画家の小林よしのり氏は、一貫して「権威よ死ね」と言っていますが、これはある種の専門知にたいする対抗心を表していると思います。歴史修正主義者もディベートを好み、通説と俗説を同じ土俵に上げて論破しようとする試みを行いました（拙著第二章を参照）。ネトウヨは、マスコミを「反日」「守旧的」「旧思考サヨク」などと位置付け、ネット利用者の優位を謳いました。これらは、俗説を引き上げ、権威の価値を引き下げる効果を持つでしょう。

ある程度信頼できる情報とそこから距離があるものとが、拮抗する今日的な状況を支えているものこそ、平等観の普遍化とも言える事態です。別のニュアンスの言葉で表現すれば、「民主化」と言えるかもしれません。すなわちどんなテーマもどんな意見も、等しく価値があり、仮に間違っていたとしても「みんな」が信じているものを否定することは、非民主的でエリート主義や権威主義として批判されるということがさまざまな分野で起こっています。政治の世界では、「みんな」平等に一票を持っているのだから、選挙で勝った政治家の言うことを批判するのは非民主的ということになるわけです。「民意」や「嫌なら選挙で落とせばいい」などと繰り返す橋下徹・元大阪市長／府知事が得意な論法ですね。

こうした話にはよく「反知性主義」という言葉が当てられて説明されます。反知性主義とは、バカという意味ではなく、むしろオルタナティブな知性への関心の高さから生じていて、知性が権威と結びつくことへの反発であると説明されることが多いです。しかし、こうした記述が一貫して見落としているのは、その原点になっているものが（アメリカの場合）「神の前での平等」であったことです。

もちろん物語る権利が平等であることは重要です。しかし、意見の価値は同じではありません。すでに述べたように、私が見るところ歴史修正主義の蔓延は、「文化生産者による評価が重視される歴史」から「文化消費者による評価が重視される歴史」への移行が原因であったように思います。しかし、前者と後者の価値は異なるものです。歴史はどう狙われてきたのか、歴史はなぜ狙われるのかと問うとき、このような社会背景の大きな変化を捉えなければならないのではないでしょうか。

おわりに

この文章を書いている最中の二〇二〇年六月二日、美容外科「高須クリニック」の高須克弥院長が発起人となり、百田尚樹氏、有本香氏、竹田恒泰氏、武田邦彦氏が同席して、大村秀章愛知県知事のリコールに必要な八六万人の署名を集める運動を開始すると発表しました。そのきっかけは、「あいちトリエンナーレ」と「武漢ウイルス」への対応だと言います。ご存知の通り、高須氏はtwitterにて繰り返しホロコースト否定を含む歴史修正発言を繰り返している人物です。そこに「武漢ウイルス」という産経新聞系の記事・論者しか使用しない言葉を用いて排外主義を煽っています。この会見内容には河村名古屋市長、吉村大阪府知事も支持を表明する事態となりました。

また、高須氏は愛知の地元の人たちは中日新聞とCBCがすべてだと思っている人がたくさんいて現実を知って欲しい、目を覚まして欲しいと思っていると会見で述べています。マスコミが「正しく」報道しないことを記者会見で記者に直接訴えました。そして、竹田氏は「表現の不自由展」は「日本人へイト展」（これまた産経新聞しかしなかった表現）だとし、そこに税金が投入されたのは、詐取だと言います。

「この問題の本質はどこにあるのか」。記者会見ではこの言葉が複数回にわたって使われました。有本氏は、税金の使い方、公金が出される手続きの問題なのだと述べ、「なにも私たち個人の嗜好でもってあれはけしからんと申し上げているのではない」「好みに合わせてこの話をしているのではないかと思われるのは一番困る」と強調します。そこに、百田氏と竹田氏はそれに同調するように声を荒らげて記者に詰め寄りました。

ここで忘れてはならないことは、第一に会見全体、そして過去の発言・活動を鑑みれば、有本氏の発言は問題のすり替えであること、第二に厳しく詰め寄られた記者は女性であること、第三に数の力で圧力を掛ける手法を採用すること、の三点です。歴史修正主義運動のまったくの焼き増しとも言えるような会見でした。

巧妙にイデオロギー性を隠蔽しようとしますが、なんのことはありません。「反日」に税金を使用することはおかしいと言っているわけなので、イデオロギーが透けて見えています。杉田水脈自民党議員が「慰安婦」問題を研究する女性研究者に科研費（＝税金）が使用されるのはおかしいと言い出したことと結局は同じなのです。

しかし、この主張はもしかしたら一定のインパクトを持つかもしれません。というのも、税金は私たちに「平等」にかけられるものだからです。それを使って特定の表現だけが芸術展に並べられます。それは「中立」でもなく「不平等」に見えます。それを文化消費者＝税金で買っている側の評価から見たらおかしい、となります。もしそうならば、やはり「あいちトリエンナーレ」は、歴史修正主義をめぐる社会の縮図のような事件だったと言わざるを得ません。

第二章

植民地主義忘却の世界史

——現代史の大きな流れのなかで理解する

はじめに

近年、南京大虐殺や「慰安婦」問題の事実を否認したり、歴史研究者らが事実に基づき提示してきた戦後史像を「自虐的」であると批判したりする言動が、私たちの政治や社会、そして教育の現場を揺るがしています。こうした動きが、これまで蓄積された歴史研究の成果を素通りして、大衆文化の領域で社会に広がり、いわゆる歴史修正主義の土壌を育んでいます。その経緯については、第一章が明らかにしている通りです。

本章では、そうした歴史問題は、決して日本特有の現象ではなく、冷戦崩壊後の国際社会が経験した「過去の克服」の問題とつながっているということを、さまざまな事例を提示して具体的に考えていきたいと思います。日本の動向は、戦勝国と敗戦国の別を問わず、あるいは旧宗主国や旧植民地を含めて、植民地主義という過去の清算に躓《つまず》いてきた世界史の一部でもあるという見方です。

以下、時計の針を二〇世紀後半に巻き戻し、世界の各国がどのように過去の植民地主義と向き合い、そして躓きを繰り返してきたのかを具体的な事例を通して見ていきます。そして、それが今日の問題の歴史的文脈をどのようにかたちづくってきたのかを考えてみたいと思います。

1 忘却された植民地主義

植民地支配の歴史

植民地主義を、ほかの国や地域を支配することだと考えれば、それはもう人類社会の誕生の頃より行われてきました。しかし、現代世界が抱える歴史の問題として見た場合、より直接的には、一五世紀に端を開くヨーロッパの海外侵略と支配のあたりから始まったと言ってよいでしょう。先陣を切ったのは、教科書にも出てくる「大航海時代」に、「新大陸」を征服したスペインとポルトガルです。先住民社会を滅ぼし、アメリカ大陸を植民地化しました。一七世紀に入ると、イギリスとフランスが北アメリカ大陸の東部を植民地化しました。このあいだ、アフリカの人びとを〝商品〟とする奴隷貿易が盛んに行われ、アフリカの諸地域で理不尽に捕らえられた多くの人びとが、奴隷＝労働力としてアメリカ大陸に強制的に連行されました。

いまでもたびたび耳にすることがあるのですが、アフリカにはもともと奴隷制があって、奴隷貿易との違いはその規模だけだ、といったような議論があります。しかし、アフリカや地中海域で古くから行われていた奴隷労働一般と、もともと「新大陸」での労働力の枯渇を補うために導入され、需要の高まりに応じてヨーロッパから奴隷商人がやってきて、現地の諸王国を巻き込んで「奴隷狩り」を繰り返した「大西洋奴隷貿易」とでは、規模についてはもちろん、その歴史的性格からして異なります。

一八世紀後半には、その奴隷貿易で発展したアメリカ大陸で、植民地の独立が相次ぎました。独立と言っても、ヨーロッパからやってきた白人入植者が本国に反旗を翻した〝独立〟でした。先住民＝被征服民国家の独立ではありませんでした。一九世紀前半までにアメリカ大陸の大半の植民地が、こうして本国から独立し、南北アメリカ大陸の国々が成立しました。

大陸の植民地を失ったヨーロッパ諸国は、アジア・アフリカ地域への侵略を強めていきます。イギリスのインド支配、オランダのインドネシア支配、フランスのアルジェリア支配など、一九世紀後半までにはアフリカのほぼ全域とアジア・太平洋の多くの地域が、列強諸国によって植民地として〝分割〟されました。明治政府を樹立して国家の近代化を図り、列強の仲間入りを果たした日本も、一九世紀末に台湾を、二〇世紀初頭に朝鮮半島を植民地化しました。

このように、一五世紀後半から二〇世紀半ばまでの約五〇〇年の長きにわたって、列強諸国はアメリカ、アフリカ、アジアを侵略、征服、植民地化し、支配してきました。そのなかで、一九世紀後半から二〇世紀前半にかけて、列強諸国が競って植民地を奪い合った時代を、帝国主義の時代と言います。今日から見ると明らかに非道不当なことですが、当時、列強諸国で植民地支配を間違ったことであると考える国はありませんでした。

本章で問題とするのは、その帝国主義の時代に、主にヨーロッパ諸国と日本が植民地化したアジアやアフリカの植民地です。

植民地問題が注目された「例外的」国際会議

ご存知の通り、アジア・アフリカ地域では、ほとんどの旧植民地が第二次世界大戦後に独立を果たしました。しかし、その過程で、旧植民地も旧宗主国も、指導者らが植民地主義の記憶を封印し、忘却しようと意図した歴史があったことは、あまり知られていません。実際、例外的な事例を除き、二〇世紀後半の国際社会において、かつての植民地支配の歴史や問題が議論されることはほとんどありませんでした。

その例外的な事例について、先に紹介しておきます。

国際政治の舞台で植民地問題が最初に注目されたのは、一九五五年の第一回アジア・アフリカ会議でのことでした。バンドン会議と呼ばれています。戦後に独立した二九カ国がインドネシアのバンドンに集まり、インド首相のネルーらが中心となって、「平和十原則」（世界平和と協力の推進に関する宣言）の共同声明をまとめあげました。

その内容は、「すべての国の主権と領土保全を尊重」「すべての人類の平等とすべての国の平等」「内政不干渉」「正義と国際義務の尊重」などですが、実際の会議では、反植民地主義や人種差別の撤廃、当時の途上国が直面していた貧困や産業構造などの社会問題が議題となり、それらの解決を「平和十原則」というかたちで国際社会に訴えました。

二番目の大きな事例は、アフリカ大陸で旧仏領を中心に一七カ国が独立し、「アフリカの年」と呼ばれた一九六〇年の年末に開催された国連総会の決議です。総会決議一五一四で、その内容から「植民地独立付与宣言」と呼ばれました。その画期的なところは、それまで現地住民の「進歩」を口実に国連の信託統治が正当化されてきたのに対して、「政治的、経済的、社会的又は教育的な準備が不十分なことをもって、独立を遅延する口実としてはならない」（第三項）と明言したところにあります。つまり、植民地の独立は無条件で与えられるべき正当な権利であることを国際社会が初めて認めた、ということです。さらに、その二年後には、国連が「脱植民地化二四カ国特別委員会」を設置し、旧宗主国に植民地の独立を促す具体的な圧力をかけたこともあって、脱植民地化の動きが一気に加速しました。

近年、と言っても二〇年前のことですが、二〇〇一年には国連反人種主義・差別撤廃世界会議、通称ダーバン会議が開催されています。遅きに失したとはいえ、奴隷制と植民地主義が人種差別やアフリカの貧困の原因になっていることが、国際会議のレベルで認識されました。ただ、会議が開催されたのは二〇〇一年八月の終わりから九月にかけてのことで、その直後に勃発した「九・一一」の衝撃で、会議の印象はにわかにかき消されてしまいました。

植民地問題が外交問題に発展しなかった二〇世紀後半

国際社会で植民地問題が注目された事例を簡単に振り返ってみましたが、これらは非常に例外的で突出した事例でした。第二次世界大戦後、二〇世紀後半を通して、とくに一九七〇年代や八〇年代になると、国際会議において植民地問題が議論されることはほとんどありませんでした。独立後も、旧植民地の人びとの生活水準は向上しなかったし、後に述べるように、「新植民地主義」と呼ばれた旧宗主国による旧植民地の経済搾取の問題は、専門的な議論に留まらず、一般的にも関心を集めていました。にもかかわらず、旧植民地側が旧宗主国に対して、植民地支配によって植民地の人びとが被った損害に対する責任を取れというような議論は起こりませんでした。

その理由はいくつもあります。例えば、イギリスと旧植民地はコモンウェルス（日本では英連邦とも呼ばれています）という緩やかな国家連合を形成し、政治的にも経済的にも関係を深めてきました。コモンウェルスに所属すれば、特恵関税や開発援助など各種の経済措置で優遇されるため、旧植民地側に受益感覚が生まれました。フランスも、多くの旧植民地と「フランス共同体」を形成しました。イギリスがコモンウェルスに期待していたように、経済的に強く結び付くことで、旧植民地の不満を吸収し、良好な関係を築こうとしていたわけです。

しかし、旧植民地側の受益感覚を主たる理由とすることはできません。次に見るように、そもそも植民地の独立に際しては、旧宗主国側が独立を承認する見返りとして、〈植民地問題は解決済み〉として棚上げにするある種の妥協を求め、旧植民地側もそれを余儀なくされた、強いられたという現実があったのです。植民地問題を棚上げにすることによって初めて、コモンウェルスやフランス共同体などという植民地遺制が成立し得たと言ったほうがよいのかもしれません。

2　妥協を強いられた植民地の独立

「解決済み」として独立したケニア

とくにイギリスの植民地には、そのような妥協を強いられて独立を果たした国が非常に多くありました。その典型が東アフリカの大国ケニアです。

よく知られているように、「アフリカ分割」の原則を確認した一八八四―八五年のベルリン会議において、東アフリカはヨーロッパの列強諸国によって分割され、一八九五年にケニアはイギリスの植民地となりました。ケニアは肥沃な高地に恵まれ、多くの白人が移住しました。独立前夜には、五万人以上の白人移住者がいたと言われています。その大半はイギリス系でした。他方、現地のアフリカ人の多くは、中心部周辺の痩せた土地に追いやられ、白人の大規模農場などで事実上の強制労働に従事し、重税に苦しむというのが一般的な風景でした。

そうしたなかで、第二次世界大戦中の一九四四年、ケニア・アフリカ人同盟が結成されます。

同盟には立場を異にするさまざまな勢力が結集しました。後にケニア初代大統領となるジョモ・ケニヤッタを中心とする穏健派や、反植民地主義を掲げてケニア土地自由軍を率いたデダン・キマジを中心とする急進派などです。

ケニア・アフリカ人同盟は、植民地支配への抵抗を開始し、一九五二年からはケニア土地自由軍を核とする武力闘争が本格化しました。これが「マウマウ」と呼ばれた独立闘争です。「マウマウ」という意味不明の名称は、イギリス当局が用いました。語源については諸説がありますが、イギリス当局は、それまで経験したことのない激しい抵抗運動に直面し、五万人の兵力と警察力を動員し、これを徹底的に弾圧しました。独立闘争は激しさを増し、キマジは捕らえられ、一九五七年に処刑されました。

一般に、コモンウェルスの発展などを見て、イギリス帝国の解体はソフトランディングだったというような言説が広まっていますが、それは事実に反します。独立闘争の際に、当局は剥き出しの暴力を行使したのです。帝国最大の植民地インドでも同じです。ガンジーの非暴力不服従運動によって、インドは平和的に独立を勝ち取ったと理解されがちですが、実際には植民地当局に徹底的に弾圧され、多くの人びとが犠牲となっています。

激しく弾圧を受けながらも、ケニアは一九六三年に念願の独立を果たします。初代大統領に就任したのは、同盟を長らく指導してきた穏健派のケニヤッタでした。彼は、イギリスと独立交渉を重ねるなかで、闘争時に「マウマウ」闘士に対してなされた虐殺行為や拷問の責任を追及することを断念しました。「マウマウ」闘士の名誉回復も諦めざるを得ませんでした。第二代大統領のダニエル・アラップ・モイも、ケニヤッタの政策を受け継ぎ、イギリスとの関係維持に腐心しました。

独立交渉の現場は、それほど厳しいものだったということです。また、独立後の国家建設や経済発展のために、旧宗主国からの支援を必要としていた現実もありました。しかし、そういう歴史状況に翻弄された人びとがいた。「マウマウ」と呼ばれた独立闘争の兵士たちをイギリス当局が弾圧した残虐行為や暴力の記録は、独立後のケニア・イギリス関係にとって不都合な事実や記憶として選別され、長らく封印されることになったのです。

国際社会から制裁を受けたジンバブウェ

他方、内戦を経て一九八〇年に成立した南部アフリカのジンバブウェのように、白人が所有する大農場を強制収用し、植民地主義の過去を清算しようとする動きもありました。同国のロバート・ムガベ元大統領（二〇一九年に死去）は、長期にわたって強力な独裁政権を敷き、実力行使に踏み切った人物です。日本ではあまり報道されていませんが、ムガベは生前、反植民地主義・解放運動の象徴的な指導者として、アフリカ諸国では一定の支持を集めていました。

そのような動きに対して、欧米諸国は、人権問題を盾にして強硬な経済制裁を実施し、圧力をかけました。ムガベが強制収用しようとした土地のほとんどは、もともとは「アフリカ分割」の結果、イギリスをはじめとするヨーロッパの旧宗主国が武力を背景に収奪した土地です。国際社会は、そうした過去にはいっさい目を瞑り、ムガベの〝独裁者〟としての側面を厳しく非難しました。ジンバブウェに対する制裁は苛烈を極め、同国は国家の体を成していない、いわゆる「破綻国家」状態に陥り、大混乱を余儀なくされました。

しかし、ジンバブウェは例外です。アフリカの旧植民地の大半は、独立して国際社会に復帰するために、独立後に旧宗主国との関係構築を妨げる可能性のある事実や記憶を封印せざるを得ませんでした。前述のケニアで、「マウマウ」の闘士の名誉が回復されたのは、じつに二〇〇三年になってからのことです。

開発援助による植民地問題の「解決」

植民地の独立に際して、その歴史の総括が先送りされたという点では、日本と大韓民国（韓国）の関係も同じだと言えるでしょう。よく知られているように、一九五一年のサンフランシスコ講和条約の署名国は日本との交戦国に限定されており、旧植民地は除外されていました。戦後に樹立した韓国や朝鮮民主主義人民共和国（北朝鮮）は、日本と交戦状態になかったという理由で賠償を受ける権利がないとされました。事実、「北朝鮮」に対する戦後賠償・補償措置は、戦後七五年を経た今日でも未解決の問題として残されています。

他方、旧植民地の朝鮮半島に樹立された韓国には、日本は「経済協力」というかたちで、ある種の戦後措置を行ったと理解されてきました。ここで言う「経済協力」とは、簡単に言えば、韓国側が賠償請求権を放棄する代わりに、日本が韓国へ行った事実上の開発援助のことです。韓国との条約と協定に基づき、日本は韓国へ無償資金三億ドル（一〇八〇億円＝当時）と有償資金二億ドル（七二〇億円＝当時）の拠出を約しました。ご存知のように、このとき請求権放棄と「経済協力」がセットで行われ、これをもって両政府のあいだで植民地問題を「解決済み」としたことが、今日の日韓関係の原点となったと言われています。しかし、同時に、このときのやりとりが両国の関係悪化の火種ともなっていることは、吉澤文寿氏の『日韓会談19

65――戦後日韓関係の原点を検証する』(高文研、二〇一五年)など多くの歴史研究が、当時の史料を用いて明らかにしてきた通りです。

なお、日本は日本の旧植民地のほかにも、日本軍の侵攻や占領によって甚大な被害を被った連合国の旧植民地(例えばシンガポールなど)に対して、「準賠償」というかたちで円借款や無償供与を行っています。これらは実態としては政府開発援助と言えるものですが、「準賠償」という通称が示す通り、戦争責任を果たす一環で行われてきたものでした。

この時期、韓国を含めアジアの新興独立国の多くは、開発型の独裁政権でした。結局のところ、日本はこれらの独裁政権に事実上の開発援助を行うことで、戦争や植民地被害の問題を「解決済み」としてもらうことができたわけです。日本はさらに、開発援助を梃子にアジア諸国との経済関係を深め、自国の戦後復興の糧にすることもできました。このことは、後に日本を世界経済の中心に押し上げたアジア太平洋経済の興隆にもつながっていきます。他方で、ここで詳しく検討する余裕はないのですが、日本と韓国とが早期に植民地問題を解決し、共同して北朝鮮に対峙することは、アメリカ合衆国の冷戦戦略に適う動きでもありました。

こうして経済や政治を優先した結果、日本とアジア諸国のあいだで戦争や植民地支配がもたらした被害の問題は棚上げされることとなりました。洋の東西を問わず、植民地主義の負の遺産を後景に退け、あたかもなかったことのように封印することで、第二次世界大戦後の国際社会は成立していたのです。

3 冷戦の終焉と「謝罪の時代」

動き始めた清算の歴史

ところが、一九九〇年代以降、植民地主義を〝忘却〟した世界史は、〝記憶の回復〟へと大きく舵を切り始めました。植民地支配により被害を被った旧植民地の側から、裁判に訴えて補償や賠償を求めたり、旧宗主国政府による公式な謝罪を要求したり、記念碑の建立や歴史教科書記述の見直しを求めたりといったさまざまなかたちで、「正義の回復」を求める動きが世界各地で起こってきたのです。アカデミアの世界では、「謝罪の時代（The Age of Apology）」とか「賠償の政治（Reparation Politics）」といった言い方をしています。

こうした動きが世界各地で生じるのは、ある意味当然のことでした。いくら国家間で植民地問題を「解決済み」と処理し、その記憶を封印しようとしても、被害や苦しみを受けた人びとの記憶は決して消え去ることはなかったからです。

なぜ九〇年代だったのか

それにしても、なぜ一九九〇年代だったのでしょうか。そこには歴史的背景がありました。人権観念の国際的な定着、途上国の地位向上、冷戦の終焉、そして情報のグローバリゼーションなどの歴史的変化です。いずれも壮大で複雑な話になりますが、なるべく簡潔に説明すると、次のようなことが言えるかと思います。

第一に特筆すべきは、第二次世界大戦後の国際社会で、少しずつではありますが、普遍的な人権観念が醸成され、定着していったことです。南アフリカで「アパルトヘイト」という人種差別政策が国策として打ち出された一九四八年は、奇しくも国連で「世界人権宣言」が採択された年です。その後も、人権という考えを世界に広げていくことは、国際社会の大きな課題であり続けました。裁判を通して法的責任を追及することで、植民地主義の問題を問い直す動きが拠り所としているのは、こうした人権観念にほかなりません。

もう一つの変化は、植民地から独立した途上国や地域で、独裁政権の時代を経て民主化が進展し、その国際的地位が向上したことです。そうした国や地域には、アセアン諸国や韓国、台湾など経済発展を遂げたところも多く、先進国は途上国の声を無視することができなくなっていきました。

他方で、民主化は、独裁政権のもとで沈黙を余儀なくされてきた〝個人〟が、自国の政府に対しても発言できるようになったことを意味していました。一九九〇年代初め、元「慰安婦」の韓国人女性による勇気ある証言をきっかけに、国家ぐるみの記憶の隠蔽が暴かれることになりましたが、独裁政権の時代には考えられないことでした。

こうした人権観念の定着や途上国の地位向上に加え、忘却から記憶への歴史の変化を背景で用意したのが冷戦の終焉であり、情報のグローバリゼーションでした。

国際社会の「正義の記憶」

研究書などではしばしば指摘されてきたことですが、第二次世界大戦の戦後処理は、日独伊のファシズムに対する連合国の勝利という価値観・歴史観を共通認識として行われています。国際軍事裁判（ニュルンベルク裁判）と極東国際軍事裁判（東京裁判）でドイツと日本の戦争責任を確定し、これを「正義の記憶」＝ライテスメモリーと称するところから、戦後の国際社会はその第一歩を踏み出しました。ファシズムの非道を決して繰り返させない。それは絶対的な正義であり、これを打倒した連合国を圧倒的な正義とする価値観でした。それが、戦後世界の政治、経済の基調となりました。

「正義の記憶」と、それに基づく世界観・歴史観は、冷戦の時代にも引き継がれ、米ソを筆頭とする大国中心の国際体制を正当化していくこととなります。アメリカ合衆国を盟主とする西側諸国は、民主主義と自由の擁護者として位置付けられ、東欧をナチスから解放したソ連は、東側世界の盟主として君臨し、東欧諸国や世界各地の社会主義国家に対する影響力を強めていきました。

ここまでは教科書的な冷戦理解です。見落としてはならないのは、そうした冷戦体制が結果的に、かつての植民地主義的な支配の構造を同時に温存させることにもなっていたという点です。冷戦的世界の広がりの裏側で、植民地主義的世界がしたたかに生き延びていく――。ここが、現代史を理解するポイントです。

どういうことか。さまざまな角度から議論することができますが、例えば古くは「新植民地主義」と批判され、歴史研究で「非公式な帝国（informal empire）」と言われるような問題として考えることができます。詳しい話は専門書に譲りますが、西側諸国の多国籍企業やコモンウェルスといった植民地遺制は、開発援助や民間の活動を通じて、旧植民地諸国の政治や経済に大きな影響力を及ぼすこととなりました。ソ連も、東欧の〝衛星国〟への影響力行使に留まっていたわけではありません。一九五〇年代後半以降、アジアやアフリカの旧植民地諸国にも食指を動かし、開発援助や軍事援助を通じて介入しました。そもそも「新植民地主義」という言葉は、〈西側諸国は途上国を経済的に搾取している〉と、ソ連が世界に向けて発信した冷戦プロパガンダにおいて多用された用語でもあります。ソ連は、そうして「第三世界」の歓心を買おうとしていました。

ここで繰り返して確認しておきたいのは、「新植民地主義」の実態については諸説があるにせよ、見る人によってはかつての植民地主義、植民地支配を彷彿させるような出来事が、脱植民地化を経た二〇世紀後半においても実際に繰り広げられていたということ、なのにそれらはいっこうに改善されなかったということです。植民地状態から脱したばかりの途上国は、陰に陽に介入してきた西側諸国やソ連の「草刈り場」と化し、苦難を強いられました。戦後国際秩序の担い手を支えた「正義の記憶」は、そうした植民地主義の残滓《ざんし》がくすぶる世界史状況をまるごと上書きして、不問に付してしまうほどの圧倒的な正義、絶対的な価値観だったわけです。

端的に言えば、冷戦の崩壊は、この「正義の記憶」を一気に打ち砕いたのでした。ファシストから世界を守る大義もない。西側も東側も、敵視する相手はいない。戦後国際社会を支えてきた「記憶」のフォーマットは、にわかにその説得力を失っていきました。加えて、冷戦の終焉は、先に触れた途上国の民主化を一段と推し進めていきました。

こうして国際政治と国内政治の力学が大きく変わる歴史状況のもとで、途上国＝旧植民地諸国の人びとが、忘却された自分たちの記憶を取り戻そうとする動きが生まれてきたのです。

「謝罪の時代」を後押ししたグローバリゼーション

こうした変化に拍車をかけたのが、IT技術の急速な発展を契機とする情報のグローバリゼーションでした。政治家や政府は、その発言が瞬時に全世界に発信されてしまうことを意識せざるを得なくなりました。ここに国際的な説明責任という概念が生じ、国際政治の現場で効力を持つようになりました。グローバル・アカウンタビリティの問題です。

〝過去の記憶〟もそれとは無縁でいられませんでした。第二次世界大戦後の国際社会が、それまで「過去の克服」として想定していたのは、ホロコースト（ナチスによるユダヤ人の大量虐殺）や日本軍のアジア侵略の過去のことです。しかし、そうした「過去の克服」からこぼれ落ちてきた、あるいは封印されていた、世界中のさまざまな〝過去の記憶〟という課題が、情報のグローバリゼーションの波に乗って、瞬《また》く間に国際社会で認識され、検証されるようになりました。それまで免責されてきた戦勝国でさえ、過去の植民地主義の責任を問われ、賠償や謝罪を要求される当事者の立場に立たされるようになったのです。

4 日独両国に共通する加害者意識の欠如

一筋縄ではいかない「過去の克服」

戦後国際秩序の担い手であった連合国＝戦勝国でさえ、植民地主義の責任を本格的に追及されるような時代に突入した――。「謝罪の時代」は、そのように近代史上特筆すべき時代の変化でしたが、この三〇年間に起こった出来事を振り返ると、植民地主義の過去を「克服」する試みがいかに困難で厳しいものであるか、現実を思い知らされるような気がします。本節では敗戦国の事情を、次節で戦勝国の状況をそれぞれ見ていくことにしましょう。

まず、ドイツはニュルンベルク裁判で戦争責任を問われました。その後、東西ドイツに分かれてからも、ナチス政権関係者の犯罪を厳しく追及してきました。一般的なイメージとしては、ホロコーストやナチスの「不正（Unrecht）」をめぐる過去に、比較的に真摯に向き合ってきたと評価されています。ことに、日本の戦後と比較して、こうした見解を持っている人は多いと思われます。欧米では今日でもそのような考え方がスタンダードです。

しかし、ドイツ歴代政府が法的な戦争責任をどこまで実践してきたのかと言えば、そう簡単に答えが出せないのが実情です。専門家のあいだでも見解が分かれています。東ドイツ政府は元ナチス関係者の公職追放を徹底的に行いましたが、〈ドイツ民主共和国（東ドイツ）は、ドイツ国とはまったく別の国家である〉として、そもそもナチスの戦争犯罪とは無関係であるとの立場をとっていました。他方、西ドイツ政府が一貫してナチスの「不正」に対して取り続けてきた措置は、いわゆる道義的責任の枠内での措置でした。ドイツの戦争責任問題については、石田勇治氏の『過去の克服――ヒトラー後のドイツ』（白水社、二〇〇二年）をはじめ、日本にも多くの優れた研究がありますが、ここで言う道義（道徳）的責任と法的責任の問題は、植民地主義の「過去の克服」をめぐるドイツの姿勢を考えるうえでも重要な論点なので、いくつかの事例を紹介しておきたいと思います。

法的責任を認めないドイツの戦後措置

まず、事実として、旧西ドイツ政府の戦後補償措置では、「ヴィーダーグートマッフング（Wiedergutmachung）」≒賠償／補償や「エントシェーディグング（Entschädigung）」≒補償といった特別な用語が使われてきました。戦争犯罪などに対する法的責任を一般的に意味する「レパラツィオーネン（Reparationen）」、つまり英語の「レパレーション（Reparation）」という言葉は、ナチス関連の戦後補償措置においてはほとんど使用されていません。つまり、歴代ドイツ政府は、ナチス関連の賠償や補償問題は、「レパレーション」に基づく国家賠償ではなく、あくまでも道義的責任に基づく特別な措置であると主張しているわけです。

その姿勢は、一九八五年五月八日のリヒャルト・フォン・ヴァイツゼッカー大統領（当時）の「荒れ野の四〇年」と題した演説においても同様です。ヴァイツゼッカーの演説は、「過去に目を閉ざす者は結局のところ現在にも盲目となります」という一節で日本でも有名になりましたが、そこでドイツ国民全体の戦争責任が明確にされたわけではありませんでした。罪を犯したのはナチスであって、戦後のドイツ国家やドイツ国民に法的責任はないというのがヴァイツゼッカーの立場であり、その主張はドイツ国民に広く共有されていました。

それだけに、一九九六年、アメリカ合衆国の若き政治学者ダニエル・ゴールドハーゲンが、その著書『ヒトラーの意に喜んで従った死刑執行人たち』で、〈ホロコーストは狂信的集団のみが関与した犯罪ではなく、ドイツのふつうの人びとも「自らの意志」で犯罪に荷担した〉との主旨を主張したときには、ドイツのメディアや一部の学者たちが激しく反発しました。これは「ゴールドハーゲン論争」という大論争を巻き起こしました。同じ頃、ナチス政権下で強制労働を強いられた人びとがアメリカ合衆国でドイツ企業を相手取り、損害賠償を請求する訴訟が相次ぎましたが、道義的責任論を超える新たな展開には至りませんでした。

そうしたなかで、ドイツ政府は二〇〇〇年に、強制労働を強いられた人びとの被害を補償する目的で、「記憶・責任・未来」基金を設立します。基金は、二〇〇七年までに東欧諸国をはじめ世界約一〇〇カ国の一六六万人以上の強制労働被害者に、総額四三・七億ユーロ（約七〇〇〇億円＝当時）を支払いました。日本では好意的に紹介されましたが、基金の設立と被害補償により、ドイツ政府が国家として法的責任を認め、国家賠償を行ったわけではありません。あくまで人道的補償という立場で補償金を拠出しました。

植民地統治下で起こったジェノサイド

要するに、歴代（西）ドイツ政府が取り組んできたナチスの「過去の克服」は、法的責任による国家賠償措置を否定し、道義的責任に依拠して対処するというパターンを繰り返してきたのです。植民地主義の「過去の克服」についても、ドイツ政府は同じ姿勢を取ってきました。最近では、ドイツ植民地時代のナミビアで起こった虐殺に関する事案を指摘することができます。一九〇四年から五年にかけて、現在のナミビアであるドイツ領西南アフリカで、先住民のヘレロ人とナマ人の大量虐殺がありました。後に国連がジェノサイドと認定した出来事ですが、ヘレロ人の最高首長ヴェクイ・ルコロ氏とナマ人団体の会長で首長でもあるデイヴィッド・フレデリックス氏、そして虐殺を生き延びた人びとの子孫らが非営利団体を結成し、二〇一七年一月、ドイツ政府に賠償と補償を求める訴訟をニューヨークの裁判所に起こした事案です。

この訴訟に対してドイツ政府は、植民地主義の加害者としての法的責任を否定し、国家賠償を行うという議論には与しない姿勢を貫いています。その代わりにドイツ政府は、植民地支配に対する道義的責任として、経済援助として数億ユーロをナミビアに拠出し、二〇〇四年には駐ナミビア大使が虐殺現場で献花した実績を強調しています。ドイツ政府は、友好関係を構築するためにナミビア政府との共同宣言を協議していると言っていますが、その協議の場からへレロ人とナマ人の子孫たちは排除されました。

このように、ドイツの「過去の克服」は単純な話ではありません。とくに、戦争であれ植民地支配であれ、その法的責任を否定して、あくまで道義的責任にこだわる姿勢は、そうした歴史に対する加害者意識のありかたという問題にもかかわってきます。これらの点については、今後もさらなる検討を要するでしょう。

植民地主義を不問に付した、日本の戦後処理

「過去の克服」における加害者意識の希薄という点は、日本にしても同じような状況です。日本にとって、敗戦は連合国に対する降伏であるのと同時に、植民地や占領地の放棄を伴う帝国解体を意味していました。日本は、自らの意志ではなく、いわば他律的に植民地を放棄させられたということです。加えて、これは必ずしも日本側の問題ではありませんが、戦争犯罪を裁いた東京裁判では、植民地支配に対する加害責任は追及されませんでした。つまり、日本は、明治以降築き上げてきた帝国日本の歴史を総括し、その植民地主義の歩みを振り返る機会を十分に与えられないまま、〝戦後〟を迎えたのでした。

そうしたなかで、旧植民地や占領地に対する戦後賠償・補償措置が、植民地支配の責任問題を棚上げにした日本の開発援助とアジアの開発独裁の共犯関係から生じたものであったことは、前述した通りです。日本が国際社会に復帰した後にも、日本政府や日本企業に補償を求める訴訟が相次ぎましたが、裁判で争点となったのは、戦時下の日本軍や日本企業の行為が、当時の国際法に照らして違法であったかどうかであり、植民地主義との関連は不問に付されています。

しかも、そのような裁判に対して、日本政府は「国家無答責の法理」を貫きました。国の権力行使によって個人が損害を被ったとしても、国家賠償法が施行された一九四七年以前の事案に対しては、国は賠償責任を負わないという原則です。また、国家が被害者を救済する法律の立法や加害者の処罰を怠った立法不作為についても、それを理由としての国家賠償請求は認められないという立場を貫き、植民地支配に対する法的責任を否定しています（東郷和彦・波多野澄雄編『歴史問題ハンドブック』岩波現代全書、二〇一五年、一三七―八頁）。

「慰安婦」問題は解決したのか

本書でも随所で言及されているように、戦時下の朝鮮半島や占領地で、日本軍が関与して女性を連行し「慰安所」で働かせた、いわゆる「慰安婦」問題に関しては、日本政府は「解決済み」という姿勢を取り続けています。一九九三年の官房長官談話で軍の関与を認め「お詫びと反省」の意を表明したこと、一九九五年に元「慰安婦」に対する償いの事業を実施する「アジア女性基金」を設立し、資金を拠出したことなどを根拠としています。ドイツが戦時下の強制労働に対し、国家賠償の責任を認めず、人道的理由から基金を設立したのと同じ立場です。

しかし、国際社会はそれらを「解決済み」とは認めていません。二〇〇七年七月には米国議会が、一一月にはオランダ議会とカナダ議会が、一二月には欧州二七カ国が参加した欧州議会本会議が、日本政府に対して「慰安婦」謝罪要求決議を可決しました。

ご存知のように、日本政府はこれらの決議を事実上無視しています。それだけではなく、政府与党の周辺では、政府寄りのメディアと結託し、日本がこの問題に真摯に向き合っていると訴え、名誉挽回を目指すパブリック・ディプロマシーを組織的に画策してもいます。かれらはこれを「歴史戦」と称しています。

「歴史戦」には、欧米諸国が戦時下や植民地統治下で自分たちが犯した罪や不正を棚上げにしたまま、日本の「歴史問題」を一方的に非難することに対する不満や、「アジア女性基金」に対して正当な評価を得ていないという認識や苛立ちが表現されています。

欧米諸国の動きにある種の偽善性が見られるのはたしかで、それについては後で論じます。

他方で、見落としてはならないのは、近年、国際刑事裁判所や国連安保理などでの議論を通じて、「戦時性暴力」への注目が国際的に高まってきており、国際人権規約の文脈で「慰安婦」問題を捉える流れが生じてきているということです。その背景には、もちろん、女性に対する戦争犯罪を人権の問題として強く訴え続けた、「被害者」らの継続的な活動の広がりがありました。「慰安婦」問題に注がれた国際社会の厳しいまなざしは、第一に歴史の問題として、しかし同時に、現在の日本社会が女性の人権に対して示す姿勢の問題にこそ向けられた評価でもある点を忘れてはならないでしょう。

問われているのは法的責任、植民地主義の〝違法性〟

旧植民地や占領地の人びとへの戦後賠償・補償措置について対照的だと評価されることの多い日独両国の対応は、ここで見てきたように、実際にはそれほど大差ないというのが実情です。戦争責任に対し、罪や不正を犯したのは当時の政権や軍であって、国民全体に責任はないという建前を崩さないということ、そして植民地主義の加害者責任に対する自覚が希薄であるという点で、両国は共通しています。結果として、両国とも道義的責任はある程度は認めるものの、戦時下や植民地支配時の不正や不法を〝罪〟と認め、その損害を賠償する法的責任は断固として回避してきました。

この点は議論を深めていくべきだと思うのですが、「謝罪の時代」において要求されているのは、第一に「正義の回復」を求める個や集団への国家賠償・補償であり、政府による謝罪です。ここは明確です。植民地主義がもたらした苦痛や被害の問題が、国際社会で不問に付されてきた植民地主義の〝違法性〟の問題と明示的に結びつけられて論じられるようになったところに、「謝罪の時代」の大きな特徴があります。事の経緯や因果関係から言えば、戦争責任に先立って問われねばならなかったはずの植民地責任こそ、これまで国際社会が不問に付し、あるいは〈解決済み〉として棚上げにした問題でした。ですから、道義的責任については言うに及ばず、植民地主義の〝違法性〟に対する法的責任を認めることこそが、いま要求されているのです。「遺憾の念」を表明するだけではなく、国家賠償を引き受けるということです。

近年、いわゆる徴用工問題が各方面にインパクトを与えたのは、韓国の大法院判決が、国際法上「解決済み」とされた日本の植民地支配の〝違法性〟の問題に踏み込んだからにほかなりません。日本では、国際法上すでに決着のついた問題を掘り起こして、〈韓国はまた「ゴールポストを動かす」のか〉という話が大勢を占めているようですが、徴用工問題は交渉中の条件や要求を変更して翻弄するといった話ではないので、そういう異論はどうかと思います。少なくとも、自分の意志に反して労働上の苦しみを強いられた「徴用工」の記憶と経験は、これまで日韓両国のハイレベルな政治の舞台ではまるごと封印され、〝交渉〟する機会すら与えられてきませんでした。それが問い直されているのです。この点を、「ゴールポストを動かす」論は見落としています。意図的かどうかは別にして、この問題に対して「解決済み」を唱えることとは、そういうことなのです。これは法理論の問題であるとともに、根本的には国際法そのものの歴史性が問われている問題でもあるというのが、私の基本的な理解です（『東京新聞』二〇一八年一一月二日。『しんぶん赤旗』二〇二〇年一月二八日）。

いずれにせよ、戦争責任であれ植民地責任であれ、日独政府の対応がこうした論点にどこまでかみ合ったものであるのかに関しては、丁寧に検証していく必要があると思います。

5 ヨーロッパの戦勝国の描く植民地主義史

賠償ではなく、未来志向の経済支援

それでも、ドイツと日本は敗戦国であったため、第二次世界大戦後に「国民史」を自由に書くことはできませんでした。敗戦国の歴史観は、戦勝国の厳しい批判に晒《さら》されていました。これが今日の、歴史修正主義者たちの反発の背景にあるのはたしかで、修正主義者ではなくても、日本の多くの人びとがそれに心の傷を負ってきたのも事実だと思います。

しかし、そういう状況であっても、植民地主義、植民地支配の罪は免れることができました。この一点が、戦後国際社会のあり方を象徴的に示しています。敗戦戦勝の別を問わず、旧宗主国が権勢を持続した戦後の国際社会では、ドイツも日本も、イギリスもフランスも、植民地支配の歴史については自分本位の歴史を綴ることができたのです。

とくにヨーロッパの戦勝国は、植民地支配の責任はもちろんのこと、戦争責任を問われるこ

ともなく、そうしたことが国内的に問題視されることもほとんどありませんでした。

例えば、オランダは東南アジアを長期にわたって植民地支配していましたが、その〝違法性〟を糺す動きはほとんど見られませんでした。植民地支配は当時の政治体制の一部として容認されていたという認識が一般的です。一九九五年に当時のオランダ女王のベアトリクスはインドネシアを訪問しますが、植民地支配への謝罪はありませんでした。インドネシア国民からは反感を受けましたが、オランダ国内で批判されることはありませんでした。

また、個性的な政治家として知られるウィム・コックは、首相在任中の二〇〇〇年一二月に、植民地時代のオランダの行為に関して謝罪の用意があると表明しました。しかし、国内で嵐のような反発に遭い、謝罪は立ち消えになりました。オランダは植民地で日本のような不正に手を染めていないので謝罪の必要はないというのが世論で、元軍人団体は〈謝罪は独立戦争の犠牲になったオランダ兵に対する侮辱である〉と猛反発しました。

よく知られているように、オランダは奴隷制の歴史に深く関与してきた国でもあります。先述の二〇〇一年ダーバン会議では、人種差別とアフリカの貧困の淵源には奴隷制や植民地主義の歴史があるとして、これに「遺憾の念」を表明するところまでは漕ぎ着けましたが、賠償・補償の実施に至ることはできませんでした。そのダーバン会議で、オランダは、奴隷制や植民地主義に対する責任として金銭を拠出するのはふさわしくないという立場を堅持しました。その代わりに、世界の富と資源の再分配を通じて、アフリカ諸国の雇用や健康、社会経済分野を支援することを主張しています。

もっとも、オランダの対応は近年変わったと言われることがあります。例えば、二〇〇五年八月、インドネシア建国六〇周年記念にジャカルタを訪れたベン・ボット外相（当時）は、日本軍降伏後に軍を動員して独立戦争に攻撃を加えたことに「遺憾の念」を表明しました。しかし、それでもオランダ政府は、それ以上のレベルで植民地支配全体の〝違法性〟の問題に踏み込み、法的責任として対処することには躊躇しています。国家賠償はしないけれども、基本的に未来志向の経済支援で事態を収めようとするやり方を変えているわけではありません。

謝罪を拒絶し続けるイギリス

植民地主義の責任に対して消極的な姿勢を取り続けているのは、オランダだけではありません。ほかの戦勝国も同じです。近代史上最大の植民地帝国を有したイギリスは、植民地支配や奴隷制に対して国家賠償を行わない姿勢を貫いています。私が知る限り、イギリス政府は「遺憾の念」を表明したことはありますが、奴隷制や植民地主義にイギリスが関与した歴史そのものについて、公式の謝罪に応じたことはありません。

例えば、奴隷制の歴史については、一九九〇年一二月にナイジェリアで開催されたアフリカ統一機構（二〇〇二年七月以降はアフリカ連合）の会議で、補償のための国家委員会が設置されたのを皮切りに、世界の各地で賠償を求める動きが活発化しました。「アフリカの国連」と言われるアフリカ連合には、当然のことですが、旧英領諸国が多く参加しています。奴隷制をめぐる「賠償の政治」は、イギリスの「歴史問題」となる可能性がありました。事実、国際的な圧力に押されて、二〇〇六年、ブレア首相（当時）は、奴隷制に対するイギリスの歴史的関与について「遺憾の念」を表明するまでに追い詰められています。しかし、それでも公式謝罪には至りませんでした。その後の政権も、保守党労働党の別を問わず、同じ姿勢を取り続けています。

二〇一三年一〇月には、カリブ共同体の一四カ国が共同で、イギリス、フランス、オランダに対して、今日にまで及んでいる奴隷貿易の影響に対する補償を求め、国際司法裁判所に提訴する意向を表明しました。これに対し、報道によれば、イギリス外務省の報道官は「私たちは補償が答えだとは考えていない」と返答しています。補償は答えではないと言いながら、ほかの答えを示したこともありません。補償に代わる、謝罪を含めた別の責任行為をイギリス政府が示唆したことは、今日までありません。イギリス政府には、奴隷制に深く関与した過去に対する責任行為に及ぶ心構えはできていないのだろうと思います。

　謝罪の拒絶という点では、先に触れたケニア独立闘争時の拷問や虐殺をめぐる訴訟でもまったく同じことが起こっています。イギリス政府は公文書で明らかとなった証拠に基づく拷問や虐殺の事実に対しては補償を受け容れましたが、公式の謝罪は行いませんでした。

　具体的に紹介しましょう。「マウマウ」闘士の団体が、闘争時の拷問被害に対する補償を求めてイギリス政府を相手取って訴訟を起こしたのは、二〇〇六年一月のことでした。七年後の二〇一三年六月、政府は二〇〇九年一〇月にイギリス高等法院が扱った補償金請求訴訟事案に対してのみ、五二二八人に対して総額一九九〇万ポンド（約三〇億円＝当時）の支払いを受け容れました。もっとも、裁判開始当初は、イギリス政府は、植民地統治下の出来事についての責任は独立に際してケニア政府に引き継がれたと主張していました。イギリスに責任はないという方便です。しかし、ケニア政府も知らされていなかった極秘文書の発見が、裁判の流れを変えます。二〇一一年に拷問の詳細を記録した証拠が発見されたのです。証拠は高等法院に提出され、イギリス政府は「外務省に残されていた証拠に基づく事案に限る」という条件付きで、補償金の支払いを受け容れざるを得なくなりました。

　そうした状況に追い込まれながらも、当時の外相ウィリアム・ヘイグは、公式には謝罪しませんでした。同時期に、旧英領植民地の独立に際して、植民地当局が犯した拷問や虐殺に対して、同じような補償金訴訟が行われていました。キプロス、マレーシア、イエメン、エスワティニ（旧スワジランド）などの関係団体が、同じような訴訟を起こしていました。それらに対し、ヘイグは下院での演説で「今回の措置〔「マウマウ」闘士に対する補償：引用者〕は、ほかの植民地訴訟の前例にはならない」とわざわざ言明しており、それがそのままイギリス政府の公式見解となっています。

ヘイグの下院演説はインターネット上で閲覧できます。それによると、イギリス政府の言い分は、おおむね次のようなものでした。すなわち、〈五〇年前に海外で起こったことに関しては十分な証拠は得られないため、満足のいく判決が得られるはずがない。である以上、現政府にも国民にも、過去の植民地統治下の行為について法的責任を拒み続ける権利がある〉——。さらに、「マウマウ」闘士への補償を受け容れた理由は次のように説明しました。〈ケニアで起こってしまったことは遺憾である。イギリスは人間の尊厳に対する忌まわしい侵害を徹底的に非難する国である。イギリス政府は、そうした人道的立場から、イギリスとケニアとの関係の将来を見据えた和解のプロセスの一部として、この判決を受け容れた〉——。要するに、ヘイグ演説が示しているのは、政府は、補償金の支払いを、植民地支配に対する責任行為とは位置付けず、証拠に基づく個別犯罪事案として処理したということです。しかも、それを「未来志向のイギリスの良心の証」であると主張しています。ヘイグは、演説の最後を「過去の過ちを認め、未来の協力と友好の最も強力たり得る礎を築く能力は、イギリスの民主主義の確固たる証だ」という文言で締め括っています。

植民地主義の過去をめぐって、このような自己本位なイギリス政府の言い分を目の当たりにするたびに、「過去の克服」がイギリスにとってはなお「未完のプロジェクト」なのだと感じてしまうのは、きっと私だけではないだろうと思います。

おわりに——いま、ようやく「歴史」が「狙われる」ようになった

本章で見てきたように、一九九〇年代以降、世界は「謝罪の時代」を迎えました。そこで、国際社会は二つの現実に直面することとなります。一つは、戦後国際社会で封印されてきた植民地主義の苦しみや被害の記憶の承認を求める被害者やその子孫、関係者らの切実な声です。これが世界に発信され、訴訟を通じて植民地主義の不正義を告発するという現実がある。そして、もう一方に、にもかかわらず、旧宗主国が大きな影響力を保持する国際社会が、問題から目を背け続けている現実があります。二〇世紀の国際社会をけん引してきた主要国はみな、第二次世界大戦の戦勝国と敗戦国とを問わず、全体として植民地主義の法的責任というところま

では踏み込まない。こういう姿勢で一貫してきたのです。

もっとも、国際社会は過去のすべての問題から目を背けてきたわけではありません。第二次世界大戦後、国際社会は敗戦国の戦争責任を厳しく追及してきました。法的責任の履行に関して見解が分かれているという課題は残るものの、曲がりなりにも戦争の加害責任は追及してきました。ニュルンベルク裁判と東京裁判は国際的な正当性を獲得しています。

しかし、そもそも論になってしまいますが、戦勝国も敗戦国も、勝敗が分かれたとはいえ、もとはと言えばみな植民地争奪戦を繰り広げた同じ穴の狢《むじな》でした。イギリスやフランスなど戦勝国は、ドイツと日本を国際軍事裁判で裁きましたが、植民地主義の加害責任を両国に問えば、天に唾することになります。戦争責任の観点からすると、戦勝国と敗戦国の立場の違いは明白ですが、植民地問題については、戦勝国であれ敗戦国であれ、支配した側という点で立場の違いはありませんでした。戦争責任は追及するのに、植民地主義の責任について棚上げするとなれば、それは、もはや過去をめぐる責任論のダブルスタンダードだと言わなくてはなりません。

私が本章で言いたかったのは、今日の日本社会で起こっている歴史認識問題は、こうした国際社会のこじれた現実を投影したものである可能性が大きいのではないかということです。日本版歴史修正主義の言い分は、ひとことで言えば、〈日本は戦争に負けたから、他国からとやかく言われる。それは不公平だ。戦争だろうが植民地支配だろうが、みなやっていたではないか〉といった類の文句です。それは、〈東京裁判は不公平〉、〈「慰安婦」制度に似たものは連合国にもあった〉といった、「どっちもどっち」論的な不平不満として表明されます。経済が低迷し、政治的に安定せず、社会のレベルでも個人のレベルでも、徹底的に自尊心が傷つけられたとき、〈自分は悪くない、責めるな〉といった文句は、ときに痛快に響くかもしれません。慰めにもなるでしょう。〝売れる〟でしょう。しかも、責任論をめぐる国際社会のダブルスタンダードを突いている点はたしかであり、曲がりなりにも論理を装うこともできます。

しかし、少しだけ冷静になって、深く考えて、こうした言説が飛び交う時代の土台のところにきちんと目を向けてみよう、というのが本章のテーマでした。「ホロコーストはなかった」、「植民地支配は文明的発展の礎だった」、「南京大虐殺はなかった」、「『慰安婦』は強制ではなかった」と、今日の歴史修正主義はいずれも地域的な装いを纏ってはいますが、一皮剥けば、戦争や植民地主義の過去を問い直す近年の潮流に反発するという点で共通しています。戦争や植民地主義が刻印した加害の史実を否認し、そうした歴史そのものを〝なかった〟とうそぶく点では、日本であろうがどこであろうが、今日の歴史否認主義は世界史的にみな同一次元の現象であると言えるのです。ヨーロッパでの「歴史と記憶の再編をめぐる構想／抗争」を詳細に検討した橋本伸也氏も、ヨーロッパでの動きが異なる歴史的文脈でありながら日本の歴史修正主義と政治に「共振」してしまうことに注意を促しています（橋本伸也『記憶の政治——ヨーロッパの歴史認識紛争』岩波書店、二〇一六年)。

「植民地主義忘却の世界史」は、これからどうなっていくのでしょうか。未来はどうなるのでしょうか。いま、歴史認識問題を通して突き付けられているのは、こうしたとてつもなく大きな世界史的テーマなのかもしれません。少なくとも、現代史のプリズムを通して今日の歴史認識問題を考えれば、「なぜ『歴史』は狙われるのか」というよりは、〈いま、ようやく「歴史」が「狙われる」ようになった〉というべきなのかもしれません。大事なことは、そこで問われている「歴史」とは、国際社会が封印し、忘却してきた過去の加害の事実であるということ、そしてそれらがもたらした被害の記憶に深くかかわっているということです。このことをきちんと押えておけば、思慮分別を持つふつうの〝大人〟たちが、歴史修正主義者が弄する詭弁に惑わされることはなかろうと思うのです。

第三章

なぜ〝加害〟の歴史を問うことは難しいのか

――イギリスの事例から考える

はじめに

第二次世界大戦後の国際社会は、戦争責任を厳しく追及した一方で、植民地主義の加害性を問うことには驚くほど無関心で、むしろその歴史の忘却に手を染めてきました。その経緯は、第二章で論じた通りです。他方で、事情は異なりますが、冷戦下の米ソ両超大国もまた、中南米や東欧や「第三世界」に対して、経済援助や軍事介入を通じて、植民地支配を彷彿させるような支配的影響力を及ぼしてきました。二〇世紀の世界史は、こうして植民地主義の過去と現在を封印し、忘却することを旨として、国際秩序を形成してきたのです。

戦争や植民地主義の加害の事実を〝なかった〟とうそぶく歴史修正主義は、そのような世界の風潮のなかで広まっていきました。一九九〇年代以降、封印された記憶の承認を求める声が次々と溢れ出てくるなかで、それに反発して加害の事実を否認する言動は激しさを増し、政治や社会を分断しています。繰り返して述べているように、私たちはいま、そんな歴史修正主義の時代、歴史否認の時代に生きています。

それにしても、国際社会は、なぜこれほどまでに植民地主義の過去に目を背け続けるのでしょうか。加害の歴史を問い直すことは、なぜ難しいのでしょうか。その理由を知るためには、具体的な事例に範を求め、丁寧に分析を行う必要があります。本章では、〝植民地主義忘却〟

の旗振り役と言ったら言葉が過ぎるかもしれませんが、国際社会の中心にあって、植民地主義の過去をめぐって葛藤を繰り返してきたイギリスの事例を通して、この問題を考えていきたいと思います。

個別の犯罪事案を植民地支配全体の責任から切り離す「選別的思考」

まず、歴史の点と点とをつなげるガイドラインとして、概念の話から始めましょう。

前章で見てきたように、ヨーロッパの旧宗主国は近年、第二次世界大戦の戦勝国と敗戦国とを問わず、植民地支配の時代に行われていた強制労働や独立闘争時の犯罪の被害に対して、金銭の拠出を伴う何らかの措置を求められてきました。旧宗主国は、「マウマウ」の事案のように証拠が明らかな個別事案に対処することを余儀なくされましたが、それでも公式の謝罪には及ばず、植民地支配そのものの不当性や〝違法性〟については、ほとんど言及されることはありませんでした。

私はここに、植民地主義や脱植民地化の過程で起こった個別の犯罪事案を選別し、植民地支配全体の歴史的意義から切り離して理解する特異な思考法が見て取れると考えています。別言すれば、個別の罪を認めることで、国際社会に、とりわけ旧宗主国に、〈われわれは植民地主義の加害責任に向き合い、過去を克服した〉と弁明する余地を与えてきたということです。私はこれを、「選別的思考」と呼んでいます。

前章で取り上げた「マウマウ」訴訟事案に対するイギリス政府の姿勢は、この「選別的思考」をじつによく示していました。〈植民地主義の歴史には不幸な出来事もあった。しかし、だからと言って、イギリスが世界に広めた文明の恩恵や今日の国際社会のありかたを否定することはできない〉――。これがイギリス政府の言わんとしていたことです。植民地統治下で起こった個別の犯罪事案には配慮し、一定の条件で金銭の拠出を伴う道義的責任を引き受ける。しかし、それでただちに植民地支配の歴史を全否定するわけにはいかないということです。ざっくばらんに言うと、「悪い面もあったけど、良い面もあった」というような言い方をしているのです。

また、二〇〇二年二月に、ベルギー政府がコンゴ動乱の最中に起こったパトリス・ルムンバ首相暗殺への関与を認め道義的責任を表明した際に欧米各国が示した反応のなかにも、「選別的思考」を見て取ることができます。コンゴ動乱は、ベルギーの植民地だったコンゴが一九六〇年にコンゴ共和国として独立した直後に勃発し、一九六五年まで続いた動乱です。このとき、旧宗主国ベルギーの支援を受けた勢力と対立した初代首相のルムンバが暗殺されました。およその四〇年経ってからのことだとはいえ、この暗殺への関与を政府として認めたベルギーの〝勇気〟を、各国のメディアはこぞって賞賛しました。一方で、ヨーロッパの旧宗主国政府はみな、植民地支配それ自体の〝違法性〟を認めることになる国家賠償に関しては、一貫して拒否し続けているのです。

「栄光の下水処理」

「選別的思考」という問題は、日本の学者や専門家のあいだで十分に議論されているわけではありません。この用語自体、私の造語です。近年、海外の研究者らと話し合うためには〝selective thinking〟という表現を使っていて、これを便宜的に直訳しています。もう少し良い表現はないものかと考えてはいますが、欧米の研究に目を向けてもなかなか見当たりません。

私が知る限り、この問題に直接言及しているのは、イギリスのトム・ベントリーという政治哲学者だけです。ベントリーは、植民地統治下で起こった個別の犯罪を逸脱行為として植民地支配全体への批判から切り離して考える処理の仕方を、「狭義の謝罪（narrow apology）」と呼んでいます。「狭義の謝罪」は、「選別的思考」と同じ意味で使える概念だと思います。

ベントリーは、もともとポストコロニアリズムの研究者で、もう少し幅の広い言説分析を展開しているのですが、博士論文をまとめた著書『自責の念（remorse）にかられた帝国』（二〇一五年）において、「狭義の謝罪」によって植民地支配全体への批判をかわし、植民地主義を支えた思考回路を温存する状況を、植民地の過去の「グロリフィケーション（glorification）」の「サニテーション（sanitation）」という表現を用いて批判しています。グロリフィケーションは「栄光」を、サニテーションは「公衆衛生」や「下水設備」を意味します。ベントリーは、個別の犯罪に対処することで、植民地主義への批判をかわそうとする「選別的思考」を、犯罪を排泄物にたとえて、過去の「栄光の下水処理」であるとなじっているわけです。

「狭義の謝罪」であれ「選別的思考」であれ、こうした特異な思考パターンを最もよく体現していたのが、イギリスの歴史教育でした。学校で培われる歴史観は、いまも昔もイギリスの人びとが無理なく受け入れてきた歴史の感性として、この国の社会にしっかりと根付いているようです。そうした歴史の感性なり歴史観なりが、折に触れて外交政策や歴史問題をめぐる政府の姿勢にあらわれているのです。

1 植民地主義を肯定する〝中立的〟歴史観

功罪両論併記の歴史教育

私は、講義や市民講座などで、「現代イギリスの歴史教育の特徴は何か」といった質問を受けることがありますが、そうした質問には、「徹底した功罪両論併記である」と答えています。じっさい、イギリスの中学校や高校で使われている歴史教科書は、驚くほど中立的な立場からの記述に徹しているのです。一言で言えば、客観的な教科書です。

しかし、かつては違いました。一九六〇年代までのイギリスの歴史教科書は帝国賛美一色でした。それが、帝国が解体し、植民地主義が一時的に国際社会の非難を浴びるようになった六〇年代に変化しました。それまでの帝国賛美の姿勢、つまり、〈文明化の使命によって世界を統治（植民地支配）した栄光を賛美する〉という姿勢をあらためて、帝国支配の負の側面にも目を配るような教科書があらわれてきます。イギリスの歴史教育は、六〇年代以降、自省的で客観的な議論を好むように変化したわけです。自国賛美の主観的な記述から、中立的歴史観を基盤とした客観的な記述に変化しました。

中立的歴史観は大変結構なことのように思えます。しかし、両論併記の中立的な記述には、巧妙な仕掛けが隠されている場合があることに留意しなければなりません。ある種の意図（その意図に自覚的であるかそうでないかは別にして）を持って、あえて中立を装っている場合があるということです。だとすれば、功罪両論併記のイギリスの教科書の仕掛けを、イギリスの歴史教育の隠された意図を疑ってみなければなりません。

結論を先に言うと、植民地主義の功罪を併記する、つまり植民地統治の〝良い面〟と〝悪い面〟を語るということには、植民地主義の負の遺産を「個別の罪」として自省し断罪する一方で、植民地主義全体の歴史の意義、つまり、帝国建設の事業を〈〝未開社会〟を文明化する使命〉と位置づけた植民地主義思想を不問に付す意図が隠されているのではないか。そればかりか、そこに一定の「善」（goodness）さえ見出そうとする発想が隠され、それを支える役割を果たしている。すなわち、イギリスの歴史教育は、功罪両論併記で中立的歴史観を装い、植民地支配の負の側面を逸脱した出来事と捉えて、自責（remorse）や後悔（regret）を抱かせる一方で、「文明の理念」そのものには疑義を挟まない態度を寛容してきた――。これが、私の基本的な理解です。イギリスの歴史教科書の内容を経年的に調べたうえで、現行教科書を手に取って相互に参照してみると、そうした「選別的思考」を涵養する（場合によっては無自覚な）意図が浮かび上がってくるのです。

しかし、急いで付け加えなければなりませんが、自国の文化を文明の尺度とみなし、武力を背景に他国や他地域の土地に土足で踏み入って支配することを正当化した植民地主義に、「善」などあろうはずがありません。あると考えるのは妄想です。

ともあれ、そうした意図が透けて見える教科書の記述は枚挙に暇がありません。例えば、イギリスでは一八五七年に勃発したインド独立戦争を「セポイの反乱」と呼ぶことがあります。インドが独立を目指して立ち上がった闘争は、統治国のイギリス側から見ると「反乱」だったということです。一九六〇年代以後の教科書には、こうした見方を改める記述がスタンダードとなり、イギリスがこの戦いで非道な殺戮を繰り返したことも記されています。帝国賛美の教科書では考えられないことです。それでも、そのようにイギリス統治の負の側面に光を当てた教科書の一つが結論として記述しているのは、インドの植民地化や近代化が「急速に過ぎた」ためにそうした痛ましい事件が起こってしまったという類の自責や後悔の念であり、それが歴史の教訓だという見方です。つまり、そうした事件が起こったからといって、インド統治の歴史それ自体を否定することにはならないというわけです。

他方、奴隷制の記述にも、イギリスの中立的歴史観の真骨頂が見て取れます。〈奴隷制は今日の歴史観、倫理観に照らせば、非難すべき過去である。だが、当時はそういう時代だったのだから仕方ない〉というのが、今日、イギリスの多くの歴史教科書における評価です。最終的な解釈は、肯定的な議論と否定的な議論を吟味したうえで、生徒自身が考えなさい、というスタンスです。そうした教科書は、今日の価値観で過去を裁くべきではないとする〝歴史の不遡及〟の考え方を盾にして、時代を方向づけた当時のイデオロギー性については検証せずに、不問に付しているわけです。

このように、イギリスの歴史教科書は、たしかに中立的かつ自省的に客観的事実を記述することを心掛けながら、他方で、解釈の多様性を尊重するとか、今日的価値で過去の行為を断罪しないといった弁明を重ねて、結局は、かつての植民地支配の理念、つまり西洋文明の普遍性を前提とした統治理念そのものの検証を棚上げしてしまっているように思われます。そのような教科書で歴史教育を受けた人びとの多くが、植民地支配の過去について「選別的思考」に基づく歴史観を持ったとしても驚くに値しません。むしろ、イギリスの歴史教育の賜物であるとも言えるでしょう。帝国支配の功罪を併記する歴史教育の手法そのものに、世界を支配する思考様式を内面化し、再生産する構造が備わっているのです。

イギリス社会に染み渡る「選別的思考」

「選別的思考」は、歴史教科書に留まる問題ではありません。新聞やテレビなどのジャーナリズム、映画や小説やテレビ番組を通じて、そして識者の発言など、あらゆる場面で、「選別的思考」に基づく歴史観がイギリス社会に染み渡っていることを確認することができます。

例えば、BBCが二〇一二年に放映した全五話のドキュメンタリー「エンパイア Empire」などはその典型です。語り手は、BBC「ニューズナイト」のキャスターとして、茶の間に名を知られたジャーナリスト、ジェレミー・パクスマン。パクスマンは、旧英領諸国の各地に赴き、旧植民地官僚や市民とのインタビューを重ねて、帝国の歴史が人びとに与えた影響を吟味していきます。イギリスでは同名のタイトルでDVD／BDや書籍が販売され、日本語字幕版DVDもつくられました。邦題は、ずばり『大英帝国の功罪』です。

その最終話、日本語版DVDのタイトルは「帝国の功罪」、原題は〝Doing Good〟でした。直訳すれば、「善きことを行う」、「善行」といった意味です。旧英領諸国を旅してまわった番組の最終話に、パクスマンは視聴者に向けて、〈帝国支配は果たして良かったのか〉と直球の問いを投げかけているのです。彼は、最後のナレーションで、次のように述べています。

……帝国は数一〇〇〇万人に血と涙を流させ、土地を奪いましたが、一方で道路や鉄道や教育をもたらしました。

歴史上の激動の三〇〇年を、簡単に判断はできません。

かつては妙な例外を除き、帝国は善とされていました。英国だけではなく、世界にとって。英国人は、帝国を恥じるようになり、国の記憶から消そうとしました。一八世紀の大農園の奴隷にとって、帝国は確かに残酷で不公平で不当でした。一九世紀に奴隷船から救われた者にとっては、帝国は慈悲深く人道的でした。〔後略〕

まさに功罪両論併記の典型と言えるでしょう。実際、番組は随所で支配の負の側面に光を当てる一方で、「善行」の部分を同じ程度に取り上げることで、絶妙なバランス感覚を示しています。放映後、そうしたどっちつかずの姿勢に苛立ちを示す記事も見られましたが、各種メディアに寄せられた感想のほとんどは、過度な優越感も罪悪感も残さない〝中立的〟な番組の姿勢を好意的に受け止める声でした。ここに、イギリスの多くの人びとが無理なく受け入れることができる、歴史の感性を読み取ることができると思います。

2 「アムリットサルのキャメロン」

頭を下げても、謝罪しないイギリス

近年、イギリス社会に「選別的思考」がいかに定着しているのかをあらためて可視化する機会がありました。二〇一三年に訪印したディヴィッド・キャメロン首相（当時）が、「アムリットサルの大虐殺」の現場を訪れ、被害者の慰霊碑に献花したときの出来事です。

アムリットサルと言えば、インド北西部のパンジャーブ地方にあるシク教の聖地です。いまから一〇〇年ほど前の一九一九年四月一三日、そのアムリットサルで、令状なしの逮捕や裁判なしの投獄を定めたローラット法に抗議して集まった非武装市民に対して、レジナルド・ダイアー准将率いるインドのイギリス帝国軍（British Indian Army）一個小隊が、無警告のまま無差別射撃を行いました。イギリス側発表で死亡者三七九名、負傷者一〇〇〇名以上、インド側の発表で死亡者一〇〇〇名以上、負傷者二〇〇〇名以上の犠牲者を出した、文字通りの虐殺

事件でした。インド社会に与えた衝撃は大きく、このあと独立運動が本格化していきます。

二〇一三年二月二〇日、キャメロンは、独立の記念碑的意味を有するこの場所を訪れました。現役首相としては初の訪問でした。彼はこのとき、虐殺の現場に建てられた記念碑を訪れ、靴を脱いで祭壇にあがり、献花を行い、一分間の黙とうを捧げ、頭を垂れました。そして芳名録に、「これはイギリスの歴史で深く恥ずべき（shameful）出来事であった。当時、ウィンストン・チャーチルが『醜悪な（monstrous）』と正しく記した出来事であった。われわれは、ここで何があったのかを決して忘れてはいけない」と記しています。キャメロンは、「決して（never）」という個所に黒インクでアンダーラインを引いていました。

報道によれば、事件の現場をイギリスの現役首相が初訪問するということで、インドの人びとは踏み込んだ謝罪の言葉を期待していたと言われています。じっさい、キャメロンは二〇一〇年六月、一九七二年一月に北アイルランドのロンドンデリーにおいて、デモ行進中の市民がイギリス軍の銃撃によって殺害された「血の日曜日事件（Bloody Sunday）」について、「イギリス政府は、軍の行為に最終的な責任を有しています。政府と国民を代表して、私はここに、心から遺憾の念を表します（I am deeply sorry）」と表明したばかりでした（日本では〝sorry〟を「謝罪」と訳す報道もありました）。連合王国を構成する北アイルランドで、イギリス軍が自国市民に発砲した国内事件であったとはいえ、アイルランドは、長い植民地支配の歴史を背負った地域です。もともとあのクロムウェルの時代に侵略されたわけですから、イギリス（イングランド）の最初期の植民地の一つでした。そのアイルランドで「遺憾の念」を表明したキャメロンでしたので、同じ植民地支配の過去を持つインドでの出来事にも、きっと何らかの踏み込んだ発言があるはずだと期待されていたのです。

植民地統治の「良かったところがあったとしたら、私たちはこれを称えるべき」だ

しかし、芳名録に記されたキャメロンの言葉は、公式謝罪に踏み込む姿勢を慎重に回避するものでした。文言は周到に用意されたものでしたが、訪問に合わせて開かれた記者会見で、キャメロンは、彼の考えをより率直に反映したと思われる発言をいくつか残しています。そのやりとりはイギリス政府のウェブサイトに掲載されていますので、誰もが読むことができます。少し長くなりますが、そこから一部を引用してみましょう。

記者：初めに、帝国とその考え方について少し質問したいのですが、首相は帝国について誇りどうお考えですか。いまでも胸に手を当てて、イギリスのインド統治の歴史について誇り

に思うと言えますか。

キャメロン：はい、言えます。私は、大英帝国が行ったことについて、そしてイギリスが統治を通じて責任を負った物事について、誇りに思うべきことが本当に多くあると思っています。もちろん、良いことがあったのと同様に、悪いこともありました。もしイギリスの統治において悪かったところがあったとしたら、そこからわれわれは学べばよいのです。しかし、良かったところがあったとしたら、私たちはこれを称えるべきなのです。

昨日も、英印関係について、イギリスの統治の歴史はインドを助けたのか、それとも障害になっていたのか、とある記者から質問を受けました。もしそのように問われれば、私はおそらく、イギリスによるインド統治はインドの人びとを助けたと答えるでしょう。なぜなら、イギリスとインドには、共に共有できる歴史や文化や物事があるからです。また、インドの人びとは、イギリスの統治が果たした貢献について語ってくれてもいます。もちろん、私たちは悪かった点についてはきちんと記憶に留めて、いったい何が悪かったのかを明らかにして、そこから学ぶ必要があると思っています。

反省すべきは反省すべきとして、それでも植民地統治が果たした「貢献」に誇りを抱いているというわけです。記者はその後も、首相の「歴史認識」をめぐって質問を繰り出し、最後に、「首相はなぜ、それでも謝罪を拒否するのか」と単刀直入に切り込んでいます。キャメロンは、じつに見事な教科書的対応で、これに切り返したのでした。

> 私の考えでは、これは私が生まれる四〇年以上も前に起こった出来事です。そういう出来事を私たちは論じている。しかし、すでに述べたように、これはウィンストン・チャーチルが「醜悪な」と非難し、当時の政府も正しく非難した出来事なのです〔傍点は引用者〕。私がすべきことは、歴史を遡って何を謝罪すべきかを追及することではありません。私が考える正しい道とは、何が起こったのかを認識し、記憶に留め、敬意を示し、理解することです。私は、これこそ私がすべきことだと考えているのです。したがって、私が芳名録に記した言葉は、この地で命を落とした人びとに敬意を払う言葉でした。ここで何が起こったのかを理解し、そこから教訓を得て、事件に責任を負う人びとが当時すでに正しく非難された事実を深く考えるために〔傍点は引用者〕、私は言葉を選んだのです。すでに申し上げたように、悪き点からは学び、良き点を称えるということです。

キャメロン訪印に一定の評価を下すメディア

本節の「アムリットサルのキャメロン」という見出しは、この記者会見の模様を報じたイギリス政府のプレス・リリースのタイトルからです（もしかしたら「アラビアのローレンス」をもじっているのかもしれませんが、真相は分かりません）。じっさい、イギリスでは、「アムリットサルのキャメロン」は、じつに見事な対応に終始したと受け止められていたようです。メディアは、キャメロンの対応におおむね一定の評価を下しました。

例えば、主要な高級紙の一つである『インディペンデント』紙は、その中立的報道で知られていますが、二〇一三年二月二一日の紙面で、訪印に込めたキャメロンの狙いが、イギリスに三〇万人から七〇万人を数えると言われるシク教徒の潜在的有権者にアピールすることにあったと指摘し、そのうえで、公式謝罪に及ばないことが結果的に「古傷を刺激した」と批判しています。ただし、『インディペンデント』紙が訪印の評価に踏み込んで言及するのはそこまでで、紙面は続いて、首相のアムリットサルへの訪問に批判的なインド人遺族（祖父が事件で殺害された）の声と、逆に「首相は、訪問を通して自らの姿勢を示してくれた。これは英印関係の向上にとって良いステップだ」と評価する別のインド人の声（祖父が事件の生存者である記念財団事務長）を並べて紹介しています。つまりは両論併記です。

『インディペンデント』紙は、識者の声として、『アムリットサルの殺戮者 “The Butcher of Amritsar”』の著者N・コレットのコメントも載せています。コレットは、「謝罪すべきはずの当事者たちはすでにこの世を去った。謝罪を行わなかったことの問題、とくに恐ろしい過ちが起こったことを認めなかった問題は、かれら〔イギリスの意：引用者〕の側に跳ね返って、かれらが支えようとしていた帝国を崩壊に導いた。〔中略〕キャメロン首相の姿勢は正しいアプローチだと思う」と述べています。『インディペンデント』紙は、コレットの言を借りて、キャメロン訪印に一定の評価を下したと解釈することもできるでしょう。

私が調べた限りでは、『インディペンデント』紙を含めて、『ガーディアン』紙、『デイリー・テレグラフ』紙、『フィナンシャル・タイムズ』紙、そして『タイムズ』紙といった、イギリスの高級紙はみな同様に、中立的な報道姿勢を取っていました。BBCをはじめ、民放のチャンネル4やITVなどでも、インターネットやテレビを通してキャメロン訪印関連ニュースを伝えましたが、基本的には中立的な報道に徹しました。インド現地での英字報道には、公式謝罪に及ばないことへの批判が見られましたが、どちらかと言えば淡々とした記述が多く、イギリスでの報道と同様に、過熱した報道はほとんど見られませんでした。

中立的報道といっても、『インディペンデント』紙や『タイムズ』紙のような高級紙の大半は、読み方によってはキャメロン訪印に一定の評価を寄せていたとも言えます。少なくとも、キャメロン訪印を否定的に捉える記事や社説はほとんど見られませんでした。これが、大衆紙（タブロイド紙）ともなると、写真や図解やキャッチフレーズを駆使して、より直接的な表現でキャメロン訪印を称賛する報道に傾斜しています。とくに、『デイリー・ミラー』紙（オンライン版二〇一三年二月二〇日）の高評価は際立っていて、紙面はキャメロンの記事そのものよりも、ダイアー擁護の記事で構成されていました（記事自体は、およそ根拠を見出し難く、事実と異なる作り話に満ちています）。また、一九九九年創刊のフリーペーパーで、都市部を中心に購読者層を広げる『メトロ』紙は、二〇一三年二月二〇日の紙面で、キャメロンがアムリットサルを訪問した際のスナップショットを二四枚も掲載し、キャメロンは、たとえ「完全なる謝罪」をしなくとも、〈イギリスの要人の誰よりも踏み込んだ姿勢を示した〉と高く評価しています。

そうした記事と写真から浮かび上がるイメージは、イギリスとインドは過去の痛みを乗り越えて、パートナーとして未来を志向する、というものです。時と場所を超えて、この国の言説空間でこれまで繰り返し表明されてきた、例の歴史の感性そのものです。

3 イギリス政府に受け継がれてきた「選別的思考」

事件当時の政府の対応

ここで、分析レベルをもう一段階深くして、事件が起こった当時にイギリス社会や当局のあいだで実際にどんなことが話し合われていたのか、史料に基づいて検証しておきたいと思います。なぜなら、残された史料を手掛かりに歴史を振り返ってみると、「アムリットサルのキャメロン」は、当時のイギリス政府が植民地問題に示していた姿勢を、およそ一〇〇年越しでそっくりそのまま踏襲したものであったことがわかるからです。

後の証言によると、一九一九年四月一三日の夕刻、ダイアー准将指揮下の小隊は、インド人群衆に向かって一〇分間以上にわたって、一六五〇発の弾丸を発砲したとされています。群衆が集まったジャリヤーンワーラー・バーグの広場は、四方を壁に囲まれていました。隠れ場を失った群衆は、小さく設けられた五つの出口に向かっていっせいに逃げ出し、イギリス軍はかれらを背中越しに射撃するかたちとなりました。負傷者は、老若男女かまわず放置され、死体は野良犬などに供されたとの証言も多く残されています。

植民地当局は、こうした惨状を覆い隠すかのように、パンジャーブ地方に戒厳令を敷きました。しかし、独立運動はいよいよ激しさを増していきます。事件の翌月、詩人タゴールはイギリスから受けた爵位を返上し、抗議の意を表明しました。イギリス国内においてさえ、自由党の大物H・H・アスキス元首相は、事件を「帝国史上最大の暴挙」という強い言葉を用いて非難し、当時陸相のチャーチルは、キャメロン自身が引用したように、「いまだかつてない、醜悪な出来事」だと議会で激しく批判しました。

事態を重く見たイギリス政府は、事件からおよそ半年を経た一〇月になり、調査委員会を立ち上げます。座長であったW・ハンター卿の名を取ってハンター委員会と呼ばれた調査委員会は、インドとイギリスの法律家を中心に構成され、そのあと半年間にわたってインドで調査を行っています。

最も重要な証言者と目されたダイアーが委員会で証言を求められたのは、一九一九年一一月一九日のことです。映画『ガンジー』（一九八二年）のなかでも、ダイアーが「必要なら、武力を用いても（by force, if necessary）」懲罰的対応を辞さないと証言する場面が描かれています。このときダイアーは、非武装のインド市民への発砲を恐れなかったのかとの問いに対して、「いいえ、私は、かれらが集会を続けるならば、一人残らず死に至らせなければならぬと固く決心していました」と答え、可能ならば機関銃を用いる用意があったと証言しています（広場入口が狭かったため、小隊は用意した機関銃を持ち込むことはできませんでした）。ダイアーはまた、「かれらは反乱者であった。私は手加減をするわけにはいかなかった。〔…〕私はかれらに教訓を与えようと考えた。〔…〕私はかれらに懲罰を与えようとした。〔…〕私は、わんぱく坊主ども（the naughty boy）に罰を与えたかった」とも述べています。

ダイアーの証言が、ハンター委員会の心証をどれほど害することになったのかについては検討を要するでしょう。しかし、当然のことながらインド人の多くはダイアーを非難し、それを許したイギリス統治を厳しく弾劾しました。対して、イギリスの国会議員やメディアからは、インド統治そのものを批判する声は聞かれませんでした。アスキスやチャーチルはむしろ例外でした。

それぱかりか、ダイアー自身に対してさえ、イギリス社会はじつに寛容な態度で接しています。一九二〇年五月、ダイアーはイギリスに帰国しましたが、そこで、イギリスやインド在住イギリス人有志から集められた義援金二万六〇〇〇ポンドが手渡されたと報道されています。義援金は、富裕層から労働者階級に至るまで、イギリスとインドで広く集められた大金でした。イギリスの貴族から、ラドヤード・キップリングといった著名人から（かれは、義援金を差し出す際に、「ダイアーは義務を果たしただけだ」と述べました）、インド政庁勤務の官吏や軍人から、ダイアーを「パンジャーブの救世主」と呼んだベンガル在住六二四〇名の女性運動団体から、それぞれ義援金が届けられたと言われています。

ハンター委員会最終報告書と政府の対応

ダイアーは母国イギリスで温かい歓迎を受けたわけですが、ダイアーの帰国に先立つことおよそ二カ月前の三月八日、ハンター委員会は最終報告書を提出しています。イギリス国立公文書館に保管されている最終報告書（WO31/21403）には、主報告書（マジョリティ・レポート）と意見書（マイノリティ・レポート）に加えて、時系列表と関連地図、そして筆記及び口頭証言を集めた証言集が含まれています。詳細な分析は別の機会に譲るとして、ここでは総論的にいくつかの特徴を指摘しておきたいと思います。

まず、主報告書はインド人の組織的動きが事件の背景にあると強調していましたが、インド人委員三名が記した意見書は、この見解を厳しく批判しています。インド人委員は、非武装の群衆に発砲したことは「正当化できない」と述べています。それは、事件に対してインド人側が抱いていた考えを率直に表現したものでしたが、指摘しておかなければならないのは、英印関係はそうした単純な対立関係では割り切れないものがあったということです。意見書は一三六頁で、ダイアーの行動が問題なのは、発砲の相手が法的に帝国臣民（British subject）であるインド人であったことであり、ゆえにそれは「非人間的で非イギリス的手法（an inhuman and un-British method）」であると述べています。

ダイアーのやり方が「非人間的で非イギリス的」だという表現は、逆に言えば、本来の「イギリス的手法」は「人間的」だということになります。こうなると、インド人委員は、ダイアーの行動は批判するが、イギリス統治そのものを問題視しているわけではない、ということになりかねません。むしろ「選別的思考」そのものです。本音か建前かは別にして、支配された側であるはずのインド人委員のほうからそのような発言が出てくるところに、単純な二項対立に還元できないイギリスのインド支配の問題の複雑さを見出すことができます。

もっとも、イギリス政府のほうは、よりあからさまに「選別的思考」を示していました。国立公文書館には、報告を受けたインド相が政府に共有を促した秘密回覧文書が、ハンター委員会報告書と同じファイルボックスに収められています。そこには、ダイアーの行動は「上官の同意」を得て、治安維持のために「必要ならば、武力を用いて」司令官としての「義務」を果たしたが、それでも「群衆解散の目的を達成するために必要と考えられる発砲時間の長さや規模」において瑕疵があったという旨の見解が記されています。要するに、ダイアーは帝国軍人としての職務を全うしたに過ぎないが、それでも「発砲時間の長さや規模」で度が過ぎただけだったという認識です。

報告書は、ダイアーに対する刑事的罰則や処分については言及していません。インド相も私信で、「インド政府も、インド軍司令官も、さらにインド相も、『ダイアー准将に辞職を迫る』とか引退リストに彼の名を加えるとか、そういうことにはいっさい加担していないことを明記しておく」とわざわざ記したほどでした。しかし、政府の責任問題に発展することを恐れた議会のほうが、同年七月に急いでダイアー非難決議を可決して、問題をダイアー一人に引き受けさせることで事態の収拾を図っていきます。

エリザベス二世の訪印

少し細かい話になりましたが、やはり事実は雄弁だということがわかります。先に見た「アムリットサルのキャメロン」は、事件については「当時のイギリス政府も正しく非難した」と明言していました。しかし、複数の史料が示すところによれば、実態はここで描いたようなものだったのです。植民地当局の対応の問題や、ダイアー一人に責任を取らせることになった経緯の問題や、軍上層部やイギリス政府の責任などは、いっさい不問に付されました。イギリス政府は、報告書の提出をもって事件の事実上の幕引きと見なしていました。

他方、独立運動をけん引したインド国民会議派は、事件の翌年には記念財団を設立し、一九六一年には虐殺の現場に記念碑を建立します。しかし、同じ年にエリザベス二世が訪印した際に、さらには一九八三年の再度の訪印の折にも、女王がアムリットサルを訪問することはありませんでした。

エリザベス二世が事件に初めて言及したのは、一九九七年一〇月、インド独立五〇周年を記念して訪印したときのことでした。同年七月、先にインド入りして状況整備を進めていたバッキンガム宮殿やイギリス外務・英連邦省の関係者は、インド政府に女王のアムリットサル訪問の件を打診していました。インド側は、八〇年以上も前の出来事でありながら、パンジャーブ地方には被害者の遺族が存命であり、人びとが抗議運動に出るかもしれないという懸念をイギリス側に伝え、インド首相もそうした感想を公表していました。他方で、公式謝罪に及ぶことは通例では考えられないとはいえ、エリザベス二世が私的なコメントをスピーチのなかに忍ばせる可能性は否定できませんでした。

果たして一九九七年一〇月一四日、シク教徒にとって重要なピンク色の正装に身を固めたエリザベス二世は、アムリットサルの現場を訪問し、記念碑の前で靴を脱ぎ、三〇秒間の黙とうを捧げたのです。それは非常に象徴的なシーンでしたが、やはり公式謝罪というところまでは至りませんでした。『タイムズ』紙（一九九七年一〇月一三日）は、訪問の前日に開かれた晩餐会の席上で、女王が次のように述べたと記しています。

イギリスとインドの歴史において、たしかに困難な時代がありました。それはもはや隠しようもないことであります。明日に訪問する予定のジャリヤーンワーラー・バーグは、そうしたつらい出来事の一つです。歴史を書き換えることはできません。しかし、それでも異なる歴史が紡がれればよかったのにと考えてしまうものなのです。私たちには、喜びを味わう瞬間があったのと同じように、悲しみに暮れる時間がありました。私たちは、悲しみから何かを学び、そして喜びのうえに何かを築いていかなくてはならないのです。

「アムリットサルのキャメロン」の言動は、このように一五年前にエリザベス二世が同地を初訪問したときに見せたのと同様のパフォーマンスを、そっくりそのまま踏襲したものでした。しかも、それは、事件当初からイギリス政府が示してきた態度にほかならなかったのです。ここで見てきたように、イギリス政府には、ダイアーの個人的行為の一部に問題ありとしながらも、そこでインド統治のありかたを見直す発想はありませんでした。反省すべき事例を個別問題として見出し、他方で植民地支配全体の問題を棚上げしておくという点において、当時の政府の対応と、エリザベス二世の訪印と、そして「アムリットサルのキャメロン」とのあいだに、どれほどの違いがあったのでしょうか。あるのは、時代状況の違いを超えて、この国に連綿と受け継がれてきた「選別的思考」にほかなりません。

法的責任実践と「選別的思考」の皮肉な関係

ここまで見てきたように、イギリスはいまだに、植民地主義の過去の清算に対しては後ろ向きであり続けています。「選別的思考」という思考回路から抜け出せずにいます。

もっとも、それが当事者のあいだではほとんど問題視されず、自覚すらされていない点は、イギリスに限った話ではありません。先に触れたベルギー政府の姿勢にも見られるように、国際社会と言っても、その中心に居座り、大きな影響力を持っていたのは、イギリスやフランスなど旧宗主国の国々でしたから、国際社会が「選別的思考」を問題視する機運など、初めから起こりようもなかったと言うべきかもしれません。

　また、イギリスのみならず、国際社会が全体として植民地主義の〝違法性〟や加害責任を直視しようとしない背景には、先述のように、裁判で個別の犯罪事実だけが注視されたことがあると思います。これは皮肉な話なのですが、「マウマウ」闘士の訴えを審理したイギリス高等法院の裁判で個別具体的な虐殺行為のみが主たる争点となったように、法的責任実践が「選別的思考」を覆い隠す要因になっている一面があります。そもそも「賠償の政治」とは、刑法上の罪を追及し、裁判によって過去の犯罪を清算する政治責任の履行を求める動きでした。そのため、植民地主義の思想的内容、構造的不正、あるいは植民地主義そのものの〝違法性〟は法廷では問題視されず、国際社会に、個別的犯罪が典型的な「植民地責任事案」であるというメッセージを送ってしまったのです。

　そしてそのことは、結果として、近年、個別的犯罪に対して道義的責任を認めることを迫られ、形式や規模はどうであれ金銭の拠出を伴う何らかの措置に応じた加害者たる旧宗主諸国に対して、植民地問題に対する責任を履行したというアリバイを与えてしまいました。「植民地主義の過去になぜ向き合わないのか」という切実な訴えに対して、イギリス政府が平然と「私たちは向き合っています。ケニアとは、『マウマウ』の団体に対して金銭の拠出をもって責任を果たし、未来志向のパートナーシップの構築に励んでいます」と答える。賠償責任を問いただそうとしている側からしてみれば、まるで議論がすり替えられてしまうように見えるやりととりが、何の疑問も持たれずに国際社会に蔓延しているのです。

しかし、それでもなお、「賠償の政治」が植民地の個別の犯罪事案に光を当て、法的責任を追及してきた、その法的実践の意義は大きいと私は考えています。植民地問題の解決を困難たらしめている理由の一つは、国際的正当性を得ていないことです。戦争責任の追及については、国際軍事裁判で国際的正当性が与えられていますが、植民地責任についてはそれがありません。法的実践の意義が大きいのは、一気呵成とはいかなくても、国際裁判や各国の国内裁判を通して、植民地責任の追及に国際的正当性を与える作業だからです。

4 「選別的思考」を受け入れる日本

「国際社会のなかの日本」という見立て

そうは言っても、「植民地主義忘却の世界史」に変化をもたらす試みは、今後も困難を余儀なくされることでしょう。変化の兆し——いま、世界に広がる〝Black Lives Matter〟運動は、欧米の「歴史問題」に風穴を開けつつあります——は見えつつあるとはいえ、長い時間をかけて「選別的思考」を育んできた国際社会の問題は根深いと言わねばなりません。

私たちにとってより深刻だと思われるのは、日本が近年、この「選別的思考」を受け入れ始めているように見えることです。もしかしたら、もう長いあいだそういう状況にあり続けたのかもしれませんが、最近、従来の歴史修正主義本とは異なるトーンで、近現代史の成果を再評価する新しいある種の学術的な試みが、ときに官民一体となって行われるようになりました。とくに第二次安倍政権になって加速したかのように見える、そうした新しい動向の一部に、現代日本の〝正しい〟「歴史認識」としてローカライズされた「選別的思考」が顔を覗かせ始めているように思われるのです。

どういうことか。ご存じの通り、かつて歴史修正主義的な書籍のトーンは、〈植民地支配の謝罪を強いて、戦前の日本を罪人の如く扱う自虐的歴史教育から日本人の誇りを取り戻す〉という類の、いわゆる「自虐史観」批判でした。この点は、第一章や第四章で詳しく論じられています。ところが最近では、「つくる会」関係者というよりは、著名な学者も参加したうえで、〈国際社会のなかで日本が歩んできた道を見つめ直し、世界で果たしてきた責任や貢献を再評価する〉という、どちらかと言うと目線を世界に向けたトーンで、そしてポジティブに、明治から現代にいたる日本近現代史を学術的に再評価する動きが見られるようになりました。

私の理解では、そうした一連の試みが描き直している「国際社会のなかの日本」という見立てには、一定の物語の「型」があります。それは、〈明治以降の日本の近代化と国際化の努力と、その達成を正当に評価せよ。一九三一年から四五年は例外的な失敗である〉という物語の「型」です。日本が満州事変から戦争の道を歩んだことは真摯に反省しなくてはならない。しかし、明治以降、近代国家の仲間入りを果たした日本の歴史を、そして戦後、失敗から多くを学んで国際社会の一員として名誉ある地位を誠実に築き上げてきた苦闘の道のりを、私たちは素直に評価すべきだ――。こうした「国際社会のなかの日本」を再評価する歴史の見立てが、一定の物語の「型」として再提示されるようになったのです。

近現代史再評価と歴史修正主義のあいだ

歴史はつねに書き換えられるものです。歴史の見直しが問題なのではありません。ただし、この数年、官民一体で進められたような方向での歴史の見直しには、私は少し注意が必要だと感じています。そうして日本近現代史を再評価する動きと、社会に蔓延する歴史修正主義のあいだには、少し危うい距離感が漂っているように思えるからです。

例えば、最近の目立った事例としては、二〇一五年八月の「戦後七〇年首相談話」を思い浮かべることができます。有識者による「21世紀構想懇談会」での検討をもとにしたと言われています。すでにさまざまな個所で指摘されていることではありますが、この談話には、満州事変から戦争の道を歩んだことに対する反省が述べられていますが、それとはまったく対照的に、韓国併合を含む植民地支配に対する踏み込んだ言及はほとんどありません。「植民地支配」とか「反省」とか「お詫び」という文言は散見されますが、談話のどの個所を読んでみても、日本の植民地支配の責任を日本政府が本当はどのように評価しているのか、論理的に判断することができないような文章になっているのです。

これは、官民一体で書かれた政府の作文であり、さもありなんといったところかもしれませんが、植民地支配の責任論に踏み込まない姿勢は、近頃出版市場を賑わす近現代史再考本や「歴史認識」本にもある程度通じているように思えます。いちいち具体例はあげませんが、一流の学者が手掛けているだけに、さすがに巷の歴史修正主義本とは一線を画しています。それでも、歴史の「大きな見取り図」としては、満州事変以後一五年間を日本の近代化・国際化過程の「逸脱」や「失敗」として選別し、その一方で近現代史全体に随伴してきたはずの植民地主義史は後景に退けるという、例の物語の「型」を踏襲しているように思えます。それは同時に、過去の責任論をめぐる国際社会のダブルスタンダードをそのままローカライズした歴史観とも見て取れます。もっと言えば、荒削りだった「自虐史観」批判に手を加えることで、より洗練された「歴史解釈」として仕立て直したようなものです。

国際社会をどう捉えるか？——むすびに代えて

誤解を恐れずに言えば、私は、「つくる会」の教科書をはじめ、歴史修正主義と見なされるような「国民の物語」が広く社会に受け入れられ、さらには学知の世界にも一定の磁場を持ち始めたこと自体は大きな意味があったと考えています。そこで、いくつかの重要な問題提起がなされてきたからです。それらの動きは、「国民の物語」とか「通史」というような、この国に生きる人びとが共有し得る歴史の全体像をいかに示すかという問題を、私たちに突き付けていました。つまり、人と社会にとって「歴史」はどんな意味を持っているのかという問題です。その問題提起それ自体は、真摯に受け止めなければなりません。

しかし、問題はその中身です。どこをどう見ても後世の歴史学の検証に堪えられそうにもない杜撰な議論は、ここでは別の話だと考えています。それはそれで大問題ですが、別の話です。そうではなく、学知も交えて〝まじめに〟明治以降の日本の歩みなり「物語」なりを肯定的に書き改め、再評価しようとする近年の動きには、それでもいくつかの問題があると考えています。このことを指摘して、本章のむすびに代えたいと思います。

第一に、繰り返しになりますが、一九三一年から四五年までを日本近現代史における例外的な「逸脱」として位置付ける叙述は、私には日本版「選別的思考」の物語に映ります。「選別的思考」では、過去に向き合うことも、「克服」することもできないことは、すでに述べた通りです。過去と向き合うことなしに、近現代史を再評価することはできません。

第二に、この「選別的思考」の問題は、近現代史を再評価する歴史観の問題に直結しています。再評価論者の多くは、〈日本が国際社会に反して戦争に突入したことは失敗だった〉と、率直に反省の気持ちを表現しています。「戦後七〇年首相談話」には、「国際秩序への挑戦者となってしまった」といった記述も見られます。しかし、こうした言い方の前提には、〈国際社会は正しかった〉という歴史観があると言わねばならないでしょう。そうでなければ、逸脱や失敗という議論は成立しないからです。

たしかに、日本の戦後は、「国際社会」への復帰と名誉回復の歩みでもありましたから、そうした議論の組み立て方はそれなりに理解できます。むしろ戦後の日本が背負ってきた課題を痛々しく表現しているとさえ思います。その心情はわかります。

他方で、うがった言い方になりますが、再評価論者は、その意図とは裏腹に、欧米中心の歴史観の残滓《ざんし》がいつの間にか浸透していて、「選別的思考」を知らずに内面化してしまっているのかもしれません。あるいは、〈そんなことを言っても、これが国際社会の現実だ〉といった、ある種の「リアリズム」なのかもしれません。そうして語られる「リアリズム」とは何か、その定義はいま一つはっきりとしないのですが、要するに、〈本当はいろいろ言いたいけれども、国際社会の現実をありのままに受け入れるしかないじゃないか〉と、国際社会を与件として捉える見方です。そうして実のところ、なかば諦めというか開き直りというか、あまりにも安易な姿勢で〝歴史は強者によってつくられる〟といった話に知らぬ間に身を委ねてしまう言説が紛れ込んでいる可能性もあります。

いずれにしても、ここで最後にあらためて確認しておきたいのは、そうして前提とされる欧米中心の国際社会は、前章から見てきたように、戦争責任を厳しく追及する一方で、植民地主義の過去を今日まで総括できずにいるということです。「リアル」と言うならば、これが国際社会の現実です。世界の実態です。日中戦争や太平洋戦争に対する反省は大切ですが、戦争責任を、それに先立つ植民地支配の責任と切り離して処理したり、問題を棚上げしたりすることは、まさに旧宗主国が中心となってそのようなことを繰り返してきた、責任論をめぐるダブルスタンダードなり「選別的思考」なりに拘泥する国際社会をそのまま肯定することにほかなりません。

そうした視点を欠いたまま、国際社会なるものを与件として措定し、そこに日本の近現代史を位置付けて肯定的に再評価することに、いったいどれほどの意味があるのでしょうか。少なくとも、「戦後七〇年首相談話」や、それに類する数々の近現代史再考プロジェクトなどは、歴史修正主義とは言わないまでも、「植民地主義忘却の世界史」の断章に過ぎない。そんなことを繰り返して、いつになったら戦争や植民地主義の加害の過去に向き合えるのか。それは後回しでもかまわないということなのでしょうか。あるいは、それでも「国際社会における日本」の名誉や誇りを〝取り戻す〟ことのほうが先決だとでも言うのでしょうか。

いろいろな考え方や立場があってもいいとは思います。ですが、もしこんな歴史観なり世界観なりが、二一世紀のあるべき日本の〝正しい〟「歴史認識」だと言うのなら、それは歴史を語りながら歴史への想像力を著しく欠いた、きわめて残念な見識ではないか。ましてや、それが政治と学知のコラボレーションなり〝忖度〟なりを通してスタンダード化されようものなら、それには反対しておかなければならないというのが、私の考えです。

第四章

「自虐史観」批判と対峙する

——網野善彦の提言を振り返る

はじめに

昨今はいわゆる「ネトウヨ本」「ヘイト本」と言われるような歴史修正主義的・排外主義的な本が書店の一角を占領するような状況にあります。それだけ見ると、突然、異常な事態が出現したように思えるかもしれません。確かに伝統ある大手出版社も、ネトウヨ本・ヘイト本の刊行に乗り出す現状を目にすると、「一線を越えた」と言いたくなる気持ちは分かります。

しかしながら、こうした言論状況はここ数年で始まったことではありません。たとえば小説家の井沢元彦さんが韓国批判の著作『恨の法廷』（日本経済新聞社）を出版したのは一九九一年のことです（最近、小学館から「新装版」が刊行されました）。現在では一大ジャンルとなった「嫌韓本」の起源は、三〇年前まで遡れるわけです。したがって歴史認識問題を考える場合、今現在の状況を批判するだけでは不十分で、倉橋さんなどがやられているように、淵源である三〇年前まで視野に入れる必要があります。

私はここ最近、百田尚樹さんの『日本国紀』（幻冬舎、二〇一八年）など、歴史修正主義的・陰謀論的な著作を批判してきました。しかし今回は視点を変えて、ヘイト本が蔓延する現状に、私が属する歴史学界がどう対峙するかという問題を検討してみたいと思います。

さて現在の歴史認識問題の原点として、歴史学界が真っ先に振り返るべきものは、「つくる会」問題でしょう。もちろん家永教科書裁判に見られるように、歴史教科書をめぐる問題はずっと昔から存在しますが、『日本国紀』など現在の問題に直接影響を与えているのは「つくる会」問題と言えます。

釈迦に説法かとは思いますが、簡単にご説明しておきますと、「つくる会」問題とは、一九九六年に「新しい歴史教科書をつくる会」が結成されたことに端を発する一連の社会現象です。「新しい歴史教科書をつくる会」は従来の歴史教科書は日本を貶める「自虐史観」に陥っていると批判し、子どもたちが日本に誇りを持てるような歴史教科書を新たにつくる、と宣言しました。彼らは自分たちの歴史観に「自由主義史観」と名づけ、「自虐史観」と対置しました。

以前から日韓併合や日中戦争、太平洋戦争などを肯定する政治家や言論人は少なくありませんでしたが、彼らの主張がそのまま歴史教科書になるということになると、社会的影響力は比較になりません。危機感をおぼえた歴史学界は、「つくる会」批判を精力的に行います。彼らの主張がいかに歴史的事実を無視・歪曲したものであるかを懸命に訴えました。

結局、つくる会は内紛を繰り返して弱体化していきます。つくる会が自由社から刊行した歴史教科書にしろ、つくる会から脱退したメンバーが結成した「改正教育基本法に基づく教科書改善を進める有識者の会」（教科書改善の会）が育鵬社から刊行した歴史教科書にしろ、採択率は低く、公的な歴史教育のあり様が大きく変わるような事態には至っていません。最近では、二〇二一年春から使われる中学校の教科書の検定で、自由社の中学歴史教科書が四〇五か所の欠陥が指摘され不合格となったという報道がありました。右派による歴史教育乗っ取りを阻止したという意味では、〝歴史学界の勝利〟と言えなくはありません。

けれども先述のように、つくる会問題を契機に、歴史修正主義的な書籍の刊行は急増し、多くのヒット作品が生まれました。藤岡信勝・自由主義史観研究会『教科書が教えない歴史』（産経新聞ニュースサービス、一九九六年）・小林よしのり『新ゴーマニズム宣言ＳＰＥＣＩＡＬ　戦争論』（幻冬舎、一九九八年）などに始まり、『日本国紀』に至るわけです。教育現場で「つくる会」系の教科書が採択されなかったというだけで、教室の外側では歴史修正主義が蔓延していったのです。その意味では歴史学界は〝敗北〟したと言えます。

実は著名な日本史学者だった網野善彦さんは生前、このことを予言していました。歴史学界の「つくる会」批判は有効ではない、と二〇年前に指摘していたのです。歴史学界はどこで何を間違えたのか。そのことを知るために、この報告では網野さんの提言を振り返り、改善策を探っていこうと思います。

1 網野善彦と「新しい歴史教科書」

「自由主義史観は戦後歴史学の鬼子」

網野善彦さんは二〇〇四年に亡くなるので、網野さんの晩年に「つくる会」問題が発生したことになります。網野さんは「つくる会」問題にしばしば言及していますが、意外と好意的な評価をしています。好意的というと語弊がありますが、少なくとも全否定ではない。歴史学界一般の「つくる会」への態度とは明らかに異なります。

比較対象として、戦後歴史学を代表する中世史研究者だった永原慶二さんを取り上げてみましょう。永原さんは『「自由主義史観」批判―自国史認識について考える―』（岩波ブックレット、二〇〇〇年）で、つくる会の中心的存在だった西尾幹二さんの『国民の歴史』（産経新聞ニュースサービス、一九九九年）を「独善自讃の日本歴史物語」「政治的アジテーション」にすぎないと痛烈に批判しています。

一方、網野さんは割と好意的です。網野さんは二〇〇一年に社会学者の小熊英二さんと対談しているのですが（小熊さんが網野さんにインタビューしている性格が強いですが）、そこで「西尾さんの『国民の歴史』についていえば、読んでみまして、なかなか読者に受けるところもあり得ると思いました。ただあれは決して『歴史』などではなくて西尾さんの『史論』ですが、『史論』として読めばおもしろい部分はたしかにあります」と述べています（網野善彦ほか『網野善彦対談集「日本」をめぐって』講談社、二〇〇二年、初出二〇〇一年）。事実関係に誤りが多いが、一つの歴史の見方としては面白いところもある、と部分的に肯定しているのです。「史論」の定義は難しいですが、おそらく網野さんは司馬遼太郎さんの『この国のかたち』あたりを念頭に置いているのではないでしょうか。

ただ、自由主義史観に対するこうした〝好意的〟評価は、網野さんが心底感銘を受けたことをもちろん意味しません。むしろ網野さんは戦後歴史学に強い不満を抱いており、それが自由主義史観に対する相対的な好評価につながっていると思います。戦後歴史学を「自虐史観」と糾弾する自由主義史観に網野さんがシンパシーを感じていたとは到底考えられませんが、己の無謬性を確信して〝上から目線〟で自由主義史観を批判する戦後歴史学に違和感を持っていたことは間違いありません。

そのことを端的に示すのが、網野さんの「自由主義史観は戦後歴史学の鬼子」発言です。網野さんはあちこちでこの言葉を使っていますが、ここでは網野さんが二〇〇一年に執筆した、戦前の歴史学者である清水三男の評伝（網野死後に発表されました）を取り上げます。以下に引用します（今谷明ほか編『20世紀の歴史家たち（5）』刀水書房、二〇〇六年）。

戦時中のナショナリスト、清水の仕事が、いまなお強靱な生命力を保ちつづけているのに対し、最近の「新しい」ナショナリズムの生命は間違いなく短いであろう。とはいえ、「自虐史観」とされてその批判の対象となったことに対し、はげしく反批判を加えている「戦後歴史学」の流れをくむ歴史研究者自身、いわば自らの「鬼子」ともいうべきこうした動きの生れる余地をこれまでに残してきたことを、きびしく問い直さなくてはなるまい。そうした弱点の一つは、例えば清水が渾身の力をこめて「国民」に向けて書いたさきの二著（筆者註：『ぼくらの歴史教室』と『素描　祖国の歴史』）を、清水の学問・研究全体の中に的確に位置づけることのないまま、著作集から切り落し、「投獄」「転向」が清水にとってむしろ自らを真に見出す積極的な意味を持っていた事実をおおいかくしてしまった、敗戦後の歴史学界のあり方にもよく現われているといってよい。

清水三男はマルクス主義の歴史学者だったのですが、一九三八年に治安維持法違反で逮捕され、獄中で転向して釈放されます。戦時中には『ぼくらの歴史教室』（大雅堂、一九四三年）、『素描　祖国の歴史』（星野書店、一九四三年）など国粋主義的な本を出版して国策に協力しています。一九四三年に召集され、敗戦後はシベリアに抑留され、一九四七年に捕虜収容所で亡くなります。三七歳の若さでした。

将来を期待されていた優秀な若手研究者だったのに時代に翻弄され非業の死を遂げた清水に対して歴史学界は総じて同情的で、「清水三男の学問の一歩退却」といった批判も一部あったものの、「転向者だ！」と声高に糾弾することはありませんでした。清水の著作集に『ぼくらの歴史教室』と『素描　祖国の歴史』を収録しなかったのも、清水が戦争協力者であったことをおおっぴらに広めないという〝善意〟に基づくものでしょう。けれども網野さんは、そういう〝配慮〟は二著に学問的な情熱を注ぎ込んだ清水に対して失礼であるし、真実と向き合わない学界の怠慢であると感じたのです。

より大きな問題は、転向後の清水の実証的研究に対する評価です。清水は一九四二年に『日本中世の村落』（日本評論社）という研究書を発表していますが、これが非常に優れた研究なんですね。皮肉なことに、転向後の方が面白い。この事実は、マルクス主義を基盤とする戦後歴史学にとって非常に不都合でした。なので歴史学界は「清水さんの本は転向後の方がずっと面白い」と表立って主張してこなかった。網野さんはこのことを厳しく批判します。

清水自身は「転向」によって「一歩後退」したのでも「退却」「敗北」「妥協」したのでも、また「現実の日本帝国のありように意識的・無意識的に目をつぶ」り、「精一杯」「抵抗」したのでもない。もとより逮捕・投獄が全く不当な権力による弾圧であったことはいうまでもないが、清水はそれを契機に、「転向」前、マルクス主義の影響下にあって観念的・公式的であった自らの生き方・学問と明確に訣別し、新たに全力をあげて史料を自分の目で読み、村落生活の実態に深く分け入って、はじめて清水自身の個性的な研究を結実させたのである。この事実そのものを、われわれはしっかりと見すえておかなくてはならない。

マルクス主義を捨てた者が優れた研究を発表したことを素直に認められないのだとしたら、研究そのものよりも主義思想を重視していることになります。清水の研究に真摯に向き合おうとしない歴史学界に、つくる会を批判する資格はあるのか――網野さんはそこまでは言っていませんが、内心そう感じていたのではないでしょうか。

既に多くの方が指摘していますが、この網野さんの清水評は多分に自己投影です。網野さん自身と清水を重ね合わせています。後述するように、網野さんは観念的・公式的なマルクス主義から離脱することで、後に「網野史学」と評されるような独創的な日本史研究を展開していきます。それゆえに網野さんの研究は、永原慶二さんら戦後歴史学の主流派から厳しく批判されます。先ほど挙げた網野・小熊対談から引用します。

小熊　（前略）こうしたタイプの歴史家（筆者注：津田左右吉《そうきち》、清水三男）のとらえ方のほうが、左翼の公式的歴史観よりも、むしろ天皇の問題の本質に真に迫っている。あるいは、左翼が切り捨てた問題を彼らなりにつかまえて、我々に突きつけていると、このように網野さんはお考えになられたのかなと思ったのです。

網野　ほぼ、おっしゃるとおりですね。そこのところをつきつめないと、天皇など絶対にひっくり返せないだろうと思ったのです…（中略）…津田さんや清水さんの著作には、それまでのマルクス主義歴史学が明らかにしていない、あるいはしようとしなかった、重大な問題が指摘されていると感じたのです。（後略）

小熊　そういう志向が、のちに網野さんが七〇年前後に論文を発表していったときに、天皇擁護論だといった批判をされる、非常に微妙なポイントでもあるわけですね。つまり、これほどに民衆の生活文化と天皇は不可分だったという主張と受けとめられた。

網野　津田さんや清水さんが天皇擁護論に陥った陥穿《かんせい》こそが大問題なので、それに正面から立ち向かい根底からのりこえることが必要といったつもりだったのですが、〝天皇擁護論〟だといわれて。あの時はだいぶやられましたね。まったく意外で驚いてしまいました。

網野さんは天皇制反対論者なのですが、天皇制を解体するには、〝敵〟である天皇制の本質を知る必要があります。特に「日本史上、天皇は政治的権力をたびたび失っているにもかかわらず、長く現在まで天皇制が存続しているのは何故か？」という問いは日本史研究における最大の問題でもあります。周知のように網野さんは、「無縁」の思想や非農業民が天皇と深く結びついていたことにその理由を求めましたが、これは「天皇はすごい」という議論に受け取られかねない。「天皇の権威は太古から現代に至るまで民衆の意識深くに根を下ろしている」と言えば言うほど天皇擁護論と批判されてしまう。

しかし網野さんから見れば、天皇制の根深さに正面から取り組もうとしていない歴史学界は〝逃げている〟ように映ります。天皇制の研究をやったら天皇擁護論と攻撃されるということになると、誰も天皇制研究をやらなくなります。

実際、戦後歴史学華やかなりし時代には天皇制研究は低調でした。少なくとも前近代はそうです。天皇制研究なんかより民衆研究をやるべし、という雰囲気だったのです。戦後歴史学が天皇制研究をきちんとやらなかったから、「つくる会」にその隙を突かれたのだ、というのが網野さんの認識でした。

「自由主義史観は右からの国民的歴史学運動」

もう一つ、網野さんは日本の歴史学界の閉鎖性を批判しています。これには、網野さんが若い頃に国民的歴史学運動を体験したことが大きく影響しています。

国民的歴史学運動に関しては、小熊英二さんが大著『〈民主〉と〈愛国〉戦後日本のナショナリズムと公共性』（新曜社、二〇〇二年）で詳しく検討していますので、ご存じの方も多いでしょうが、簡単にご説明しておきます。

国民的歴史学運動とは、民主主義科学者協会（民科）歴史部会が展開した民族解放運動です。日本史の中から輝かしい「民族文化」を発見し、日本人に民族の誇りを持たせることを通じて、アメリカの帝国主義から日本を解放することを目的としていました。日本共産党員でマルクス主義歴史学者の石母田正や松本新八郎らが運動を主導し、多くの歴史家や学生が賛同しました。

しかし「歴史学を国民のものに」をスローガンとした国民的歴史学運動は、日本共産党所感派の武装闘争路線を前提としていました。そのため国民的歴史学運動はサークル活動や聞き取り調査に基づく民衆史研究や紙芝居・人形劇などによる民衆への実践的歴史教育に留まらず、警察への攻撃など武装闘争へと展開していきます。共産党は「民族の英雄」の美名の下に勤労青年や学生たちを山村工作隊として工場や農村に派遣し、革命の拠点を作るよう指示しました。

ところが網野さんは共産党内で将来を嘱望されていたらしく、革命の最前線には派遣されず、警察に逮捕される恐れのない安全な場所から国民的歴史学運動を指揮しました。運動の激化や共産党の内部抗争によって多くの仲間が傷ついていく中、網野さんは次第に運動に疑問を持ち始め、組織内での人間的摩擦もあって一九五三年の夏に運動から離脱しました。

日本共産党は一九五五年に第六回全国協議会（六全協）で従来の武装闘争路線を「極左冒険主義」として全否定しました。これによって国民的歴史学運動は終焉し、「政治主義による学問の引き回し」と総括されました。ですが網野さんは、日本共産党の活動そのものから距離を置くようになります。これを機に網野さんは観念的・公式的なマルクス主義から離脱し、自身の学問を一からやり直していきます。

ただ網野さんは、国民的歴史学運動が過度に政治化したことを批判しているのであって、国民的歴史学運動の志そのものは後年になっても肯定していました。長くなりますが、再び網野・小熊対談から引用します。

小熊　（前略）五〇年代の国民的歴史学運動がいちばん批判したのは、歴史を書く作業は専門の学者がやるべきことだとか、素人に何がわかるとかいった、アカデミズムの硬直性や権威主義だったと思うのです。そうであるからこそ、「国民の歴史」というスローガンを掲げて、教室を離れて村に入っていったわけですね。そうした意味では、国民的歴史学運動は、歴史学の自己批判という要素があった。しかしそれが政治の変転のなかで終焉してしまい、あの運動が出した問題提起をなしにしてしまったために、それから四十年たって、今になってこんどは右の側から「国民の歴史」運動が吹き出してきたたと考えられないかと思うのですが。

網野　私も、そうだと思うのです。その意味でも、自由主義史観は「戦後歴史学の鬼子」だと表現したのです。ですから、そうした「鬼子」を生み出した「戦後歴史学」の側が、自分たちの土台自体の持っている問題、自由主義史観を生み出した自らの内包する問題を考え、それをえぐり出さないままで、ただ批判をしているだけではどうしようもないだろうというのが、正直なところ私の一番いいたい点ですね…（中略）…「戦後歴史学の研究成果を無視している」などという批判のしかたを聞くと、そんなことはあの運動としてあたりまえのことで、最初からそれを意図しているのだから、そうした批判自体がナンセンスだと思うのですね。そういう批判をすれば、「アカデミズムの権威」を認めて相手が恐れ入ってくるだろうという発想があるようにすらみえて、私のような落ちこぼれの人間としては何とも違和感がありますね。あいかわらず「狭い世界」、「学界の内側」の発想のなかでやっておられるなという印象を持ちます。こ

んな姿勢のままでいたら、足元をすくわれてしまうでしょうね。（後略）

小熊　国民的歴史学運動で提起されたことはいろいろありますけれども、そのなかで私があれは志向としては間違っていなかったと思うことの一つに、当時の言い方だと「国民のための歴史」、つまり民衆のための歴史というコンセプトがあります。アカデミズムの内部で出世するための歴史を書くのではなくて、民衆のために役立つ歴史を書くのだと。だから、歴史学界で認められた手続きを踏んでいるかどうかよりも、まず民衆に力と希望を与えることができるかどうかが問題なのであると。それを具体化する運動のやり方はうまく行かなかったとは思いますが、志向としては間違ってはいなかったと思います。それが結局行き詰まってしまったあとは、歴史学はまたアカデミズムに閉じこもってしまったという批判が、運動終焉後しばらくはありましたね。（後略）

網野　「歴史家は学界に向けてものを書き、発言するのではなく、国民の一人として国民の問題を自らの問題として取り上げて、国民に向かって発言すべきだ」と松本さん（筆者註：前出の松本新八郎）は断乎《だんこ》としていっていたのです。「国民」という当時のいい方自体については考え直す必要があるにしても、私はまさしくその通りだと思うのです。これについては、その後の自分自身の生き方にてらしても、私はいまでも異論はありません…（中略）…六〇年代以後の歴史学は国民的歴史学の運動が政治に学問を従属させたことを批判するところから再出発しているのですが、同時にこうした姿勢そのものを封じこめ切りすててしまったと思います。「自由主義史観」はその隙間から生まれてきたともいえます。

このやり取りを見てみますと、歴史修正主義をめぐって現在議論されている重要な論点は、二〇年前にもう出そろっていた、と痛感させられます。少し前に私は百田尚樹さんの『日本国紀』や井沢元彦さんの『逆説の日本史』（小学館）などを批判しましたが、それに対する反論は、要するに「歴史学界の方法論が、歴史を明らかにする上での唯一のやり方なのか」というものでした。「歴史学界で認められた手続き」が唯一絶対の正解で、それ以外の方法はないと決めつけるのは歴史学界の傲慢である、という反発ですね。

社会学者の倉橋さんがいらっしゃる前でこういうことを言うのはちょっとためらわれますが、これにはポストモダンとか言語論的転回といった学問潮流が悪影響を及ぼした部分があると思います。歴史学で言うところの「実証」で歴史的事実を解明することは不可能で、畢竟歴史は物語にすぎない、と言われてしまうと、「じゃあ誰もが歴史を好きなように語っても良いじゃないか」と曲解されかねない。ポストモダンが実証主義を相対化し、右翼がそれに乗じて「物語」を垂れ流したということです。

そもそも歴史学者は自分たちの方法論が完全無欠だと思っているわけではありません。それどころか、常に自分たちの方法論を省みて改善し続けてきました。近年のオーラルヒストリーの隆盛はその典型でしょう。ただ、近代的な歴史学研究には二〇〇年近い伝統があります。その二〇〇年の間に方法論を営々と磨き上げてきたわけで、一人の作家の思いつきで、より優れた方法論が生まれるはずはありません。

「アカデミズムの方法論」と言われると、いかにも閉鎖的で権威主義に聞こえるかもしれませんが、教授が弟子にしか教えない秘伝というわけではなく、公開講座や書籍などを通じて万人に開かれています。別に大学の史学科に入学しなくても、歴史学の方法論を学ぶことはできます。ところが歴史について一席ぶちたいが歴史学を一から勉強したくない横着者が、「学界の権威主義」を批判するという体裁をとって、根拠のないヨタ話を始め、これが相当数の支持を集めてしまう。

何故そうなってしまうかと言うと、先ほどの発言と矛盾するようですが、歴史学界に閉鎖的な側面があるからでしょう。歴史学界は歴史学の方法論を隠してはいませんが、万人に開かれてはいますが、積極的に市民に発信しているかというと、不十分と言わざるを得ない。その意味で万人「来る者は拒まず」ですが、自分たちから勧誘する意識は希薄です。一般向けに歴史の本を書くのは時間の無駄だ、と考えている研究者すら少なくありません。

歴史学界はそれでも研究成果はそれなりに社会に向けて発表していますが、根本となる歴史学の思考法を浸透させるには至っていません。ですから普通の人には、歴史学の研究成果と、自称・歴史研究家が唱えている陰謀論・トンデモ説との区別がつかない。この前、ツイッターで「百田尚樹さんの『日本国紀』だけで日本史を学んだ気になってはいけません。井沢元彦さんや竹田恒泰さんなどのちゃんとした本も読みましょう」といった意見を目にして、思わず苦笑いしてしまいました。何が歴史学で、何が歴史修正主義なのか分からず、両方が等価な存在であるならば、とっつきやすい後者に惹かれる人が一定数出てくるのは当然です。

左派が国民的歴史学運動を破綻させて半世紀を経て、右が国民的歴史学運動を起こしている。左派が捨てた大衆的支持を右派が拾ったという構図です。こうなると歴史学界は非常に苦しい。歴史学界の大多数の人は、反体制的というか反権力という政治志向を持っています。なので、大学教員である自分自身が世間的には「権威」であるという自覚を持っていない人が多い。自分では市民代表のつもりでも、無意識のうちに偉そうに振る舞っていたりする。

その点、百田さんは上手い。安倍首相と会食する一方で「自分も庶民、普通のおっちゃん」というアピールを行っています。昨年、ニューズウィーク日本版で「百田尚樹現象」という特集が組まれましたが、百田さんに取材した石戸諭さんが「ツイッターから攻撃的な人物を想像していた私は正直、面食らっていた。印象は決して悪くなかった。百田は一人でやって来て、どんな質問にも全て答えた。一人称は『私』か『僕』で、横柄な態度は一切なく、冗談を連発し、常に笑いを取ろうとする善良な『大阪のおっちゃん』だった」と記していました。しかし百田さんはもともと放送作家ですから、愛想が良くて腰が低いのは当たり前であって、驚くに値しない。この辺りは倉橋さんの方がご専門だと思いますが、いわゆる「ネトウヨ」と呼ばれる人たちにしても、社会的落伍者が「愛国」にすがっているわけでは必ずしもなく、高収入の人・高学歴の人が少なからず含まれていると指摘されていますよね。

彼ら自身がしばしば口にする通り、彼らの大半は「普通の日本人」なわけです。街頭に出てヘイトスピーチをまき散らしている人はごく一部で、大多数は平穏無事に社会生活を送っている。だからこそ問題は根深いとも言えますが、〝悪魔〟と戦っているわけではないので、上から目線で叩きつぶすというやり方では上手くいかないでしょう。

歴史学界は市民社会から遊離してしまっているという網野さんの批判はやはり本質を衝いていたと思います。

2 「自虐史観」批判にどう反論するか

「自由主義史観こそが自虐史観」

本稿では、現状批判だけでなく解決策も提示してくれ、という依頼を事前に受けていました。そこで、甚だ稚拙ながら私なりの処方箋を提示したいと思います。この点でも参考になるのが、網野・小熊対談です。

小熊　（前略）網野さんが「新しい歴史教科書をつくる会」についてのインタビューにお答えになられているものを読みますと、西尾幹二さんなどのほうが「自虐史観」だと述べておられます（『リアル国家論』）。彼らのいうよりも、もっと江戸時代の人々の識字率とか、女性の経済能力とか、そういったものは高かったのであると。それを知らないから、明治国家を過大評価するんだということご意見ですね。（後略）

網野　（前略）江戸時代の普通の人たち、庶民の力量は、西尾さんたちが考えているよりもはるかに高かったと思います。ですから、あちらも相当程度「自虐的」ではないかと皮肉をいいたくなったわけですけれどね。明治維新、近代の日本を江戸時代に対してあれほど明るく評価していることを含めて、自由主義史観はむしろ根本的には戦後の左翼の歴史像ともオーバーラップしてくるところがあると思います。

小熊　そうおっしゃられていましたね。同じ枠内の争いであると。

網野　だから、いままでのような「戦後歴史学」の立場に立ち、それを否定するものとして自由主義史観を批判しても、おそらく通用しないし、向こうも一向に痛くないだろうと私は思います。そうした批判よりもむしろ自由主義史観の方が世の中にアッピールする力が強いと思いますよ。最近ある中世史家に、私は味方に厳しく敵に甘いといわれたことがあるのですが、しかしこちら側の考え方を根本的に変えないで、いままでの路線をボンヤリ引きずり、かつての立場に安穏としていたのではあちら側にやられてしまいますよ…（中略）…日本列島に生きた多様な人たちの力量はもっともっと高い評価ができるはずです。

既存の歴史学を「自虐史観」と批判する人たちに対して、やれ侵略を肯定する軍国主義だ、やれ時代錯誤の天皇崇拝だとお定まりの反論をしても、効果は薄い。なぜなら彼らは侵略戦争や天皇制賛美を悪いことだと思っていないからです。逆に「お前たちこそが自虐史観だ」「かつての左翼史観と大同小異じゃないか」と批判した方が打撃を与えられるという網野さんの提案は、とても斬新で面白いと思います。

もちろん、こういうやり方を「相手の土俵に上がる愚」と非難する方もいるでしょう。堂々と侵略戦争や天皇制を批判していれば良いのであって、「自由主義史観の方が自虐史観だ」といった批判は小細工を弄しているだけだ、と。けれども「相手の土俵に上がらない」と言えば聞こえは良いですが、それはアカデミズムの内側に閉じこもるということと同義です。そして「相手の土俵に上がらない」という戦略が有効でないことは、現状が証明しています。

歴史学界には「アカデミズムの中でさえ健全な議論が行われていれば、在野・民間でどんな奇説珍説が唱えられていようと問題ない」という風潮があります。「自称・歴史研究家」の素人を相手にすることじたいが、歴史学界の格や品位を落とすという権威主義的な価値観も見受けられます。私が百田尚樹さんや井沢元彦さんを批判する際、「わざわざ相手の土俵に上がって論争したら、向こうの思うつぼだ」と忠告して下さる方もいました。おっしゃりたいことは私にも良く分かるのですが、それは「何もしないこと」を正当化するための言い訳ではないかという気もするのです。

少し前に話題になった「江戸しぐさ」に対して、歴史学界の反応は非常に鈍いものでした。江戸しぐさとは、芝三光という人物が提唱し、NPO法人江戸しぐさが江戸時代の商人たちのマナーという触れ込みで普及させたもので、「傘かしげ」や「こぶし腰浮かせ」など多数のしぐさが紹介されました。二〇〇〇年代には小中学校の道徳教材（副読本）などに掲載されるほど有名になりました。ところが江戸時代に実在していたことを示す史料は全く存在せず、歴史学者なら偽史と一目で分かります。にもかかわらず、アカデミズムの歴史学者で正面から江戸しぐさを批判した人はいませんでした。専ら原田実さんら在野の研究者が警鐘を鳴らしてきたのです（原田実『江戸しぐさの正体』星海社、二〇一四年）。

最近ですと、在野・民間では「薩長史観」批判が流行しています。明治維新は薩摩・長州藩が権力を手にするために起こした大義なきクーデターであるといった内容です。坂本龍馬暗殺の黒幕も薩摩藩ということになっています。今日の歴史学の水準から見れば荒唐無稽としか言いようがない。ですが、これを真っ向から批判している歴史学者は見当たりません。

冒頭で触れましたように、太平洋戦争肯定論などは「つくる会」の独創ではなく、右派の言論人はずっと前から主張してきました。けれども、歴史学界がこれらを名指しで徹底的に批判するということはありませんでした。百田さんの『日本国紀』にしても、歴史学者が苦言を呈する文章は散見されましたが、百田さんの名前や書名を明記した本格的な批判は皆無と言って良い状況です。名前を挙げて批判する価値がないということなのでしょうが、「所詮は素人のたわ言」と楽観視しているのでは、と心配になります。

結局、歴史学界が総力を挙げて批判した対象は、「つくる会」だけではないでしょうか。素人が何を言っても関係ないとタカをくくっていたら、歴史教科書に載るかもしれないという段になって大慌てで批判したわけです。自分たちの知的権威が脅かされた時しか動かないという歴史学界の特権意識が市民に見透かされているからこそ、学界の主張が社会に届かないのではないでしょうか。

国民的歴史学運動のトラウマをどう克服するか

以上のように網野さんの「つくる会」関係の発言を振り返ってみますと、国民的歴史学運動のトラウマが今なお歴史学界に残っているという事実が浮かび上がります。一つはアカデミズムの世界に閉じこもる傾向であり、もう一つはナショナリズムに利用されることへの過剰な危機感です。それは、民族主義を掲げアカデミズムを社会に開こうとした国民的歴史学運動の破綻による反動と言えるでしょう。

第一の問題点を克服するには、在野・民間の研究者との連携が鍵を握ると思います。井沢元彦さんに「歴史学界の権威主義」を批判された時、私は歴史作家の桐野作人さんなどの名前を挙げ、「アカデミズムの研究者でなくても、歴史学の方法論を理解している人の研究は尊重・評価されている」と反論しました。今回のシンポジウムで在野の研究者である辻田さんが登壇されることは、歴史修正主義の側からの「権威主義」批判に対抗する上で極めて有効だと思います。そして「国民の代弁者」を標榜する彼らこそが権威主義であることを暴き出さなければなりません。

第二点に関連して、またまた網野・小熊対談を参照したいと思います。網野さんの「自由主義史観こそが自虐史観」論に対して小熊さんは次のような疑問を投げかけます。

（前略）いまの網野さんのお話ですと、別のかたちの「日本の誇り」という歴史観につながる可能性がある。列島に住んでいた民衆、これを民族というべきか、あるいは「日本人」というべきかはわからないですけれども、その人々の近代以前から持っていた内発的発展力と申しますか、エネルギーや能力は非常に高いものであった。だから明治になってから近代化ができたのであるという視点につながってくると思うのです。…（中略）…したがって網野さんの歴史観は、天皇と結びついた国家の誇りではないけれども、日本民族の誇りといいますか、日本民衆の誇りといいますか、「日本人」の誇りといいますか、それと結びつく可能性はもっていると思います。その点についてはいかがでしょう。

対談の文脈から判断しますと、小熊さん自身がこういう疑問を強く抱いているというより、「こういう批判が出てくる可能性がある」と、ある種の想定質問のように提示しているように感じられますが、今は措きます。この疑問に網野さんは「たしかに私の歴史叙述、日本列島の社会に対するとらえ方が私の意図とはなれていろいろな方向にとらえられる可能性は、大いにあり得るでしょうね…（中略）…しかしこれは、『歴史の審判』をまつ以外にないですね」と応じています。つまり「そこまで責任は持てない」ということでしょう。

事実、網野さんの研究は誤解、そして恣意的に利用されてきました。「つくる会」のメンバーである坂本多加雄さんは自分たちの主張の根拠として網野さんの研究を挙げました（新しい歴史教科書をつくる会編『新しい日本の歴史が始まる 「自虐史観」を超えて』幻冬舎、一九九七年）。単なる誤読か意図的な歪曲か判断できませんが、「つくる会」は網野さんの研究を天皇擁護論と捉えて自由主義史観の正当化に利用したのです。

歴史学界は網野さんの天皇論に対して天皇制を擁護するものだと厳しい批判を加えてきましたが、網野さんが天皇制反対論者であることは周知の事実でした。ですから彼らの批判は、要は「そういうことを言うと右翼に利用されるから止めろ」というものです。

私は、こういう批判はいかがなものかと思うのです。ある学説が歪曲され、恣意的に利用されたとして、悪いのは歪曲した人間であって、提唱者は何も悪くない。まさに「そこまで責任は持てない」。ですが、学界の人間は学界外部の素人をそもそも相手にしませんので、提唱者を批判することになります。こういう学界内のつぶし合いで一番得をするのは誰か、ということを考えるべきではないでしょうか。

実は網野さんの議論は一九八〇年代後半以降、大きく転換しています。網野さんの代表的著作『無縁・公界・楽　日本中世の自由と平和』（平凡社、一九七八年）のまえがきには「もしも読者が、この粗野な叙述の中から、われわれ日本人の歴史が、他の諸民族――人類の歴史に共通した法則に貫かれているとともに、われわれの祖先たちも、決して他の諸民族にひけをとらないだけのものを、自らの生活そのものの中から生み出したことを、多少とも知っていただければ、それで私の望みは叶えられたといってよい」と記されていて、日本民族を賞揚する民族主義的な発想が見てとれます。

ところが「中世における聖と賤の関係について」（『日本中世に何が起きたか　都市と宗教と「資本主義」』日本エディタースクール出版部、一九九七年、初出一九八六年）では、「われわれはしばしば日本列島に最初から『原日本人』という極めて均質な集団が住んでいて、それがわれわれの先祖なのだという見解を聞いており、それが大方の常識になっていますけれども、この見方自体に大きな誤りがふくまれているのではないかと思います」と述べ、「（筆者注：古代の）西日本人と東日本人の差と西日本人と朝鮮半島南部の人びととの違いを比べてみて、どちらが大きかったかということは、簡単に結論を出せることではないと思います」といささか挑発的な言葉を発しています。その後、網野さんは『日本論の視座　列島の社会と国家』（小学館、一九九〇年）、『日本社会の歴史』（岩波書店、一九九七年）、『「日本」とは何か』（講談社、二〇〇〇年）などで、「日本」や「天皇」は虚構にすぎないと繰り返し語っていきます。

これは当時流行していた国民国家批判という知的潮流に沿ったものでした。けれども、「日本」や「天皇」が太古の昔から存在したわけではなく歴史的に形成されたものであることは、建国神話を批判した戦後歴史学において自明の前提でした。網野さんの『無縁・公界・楽』にしても、天皇制というある種の幻想を支えた要素として「無縁」の思想や非農業民に注目した研究です。

この網野さんの研究の転換を、歴史学界の外にいる知識人は歓迎しました。小熊さんもその一人です。その一方で、歴史学界の評価は冷ややかなものでした。網野さんの「無縁論」を民族主義的、天皇制擁護と批判してきた永原慶二さんは網野の転向を賞賛するかと思いきや、国民国家論という論壇の風潮に迎合しただけと切り捨てています（『20世紀日本の歴史学』吉川弘文館、二〇〇三年)。中世史研究者の西谷地晴美さんも「『日本』批判や国民国家批判には、網野氏の意図とは異なって、日本史が本来独自に解明せざるを得ないはずの天皇制問題への取り組みを曖昧にし、それを普遍的な論理で回避してしまう回路が内包されているように思えるので、容易に同調するわけにはいかない…(中略)…網野氏の『「日本」とは何か』の最大の特徴は、網野史学の事実上の起点であり、隣接諸学において網野氏の名声を一挙に高めた『無縁・公界・楽』の成果を、自らの手で封印したことにある」と指摘しています(小路田泰直編『網野史学の越え方　新しい歴史像を求めて』ゆまに書房、二〇〇三年)。

意地悪な言い方をしますと、網野さんの「日本論」にはオリジナリティが希薄です。公式的な国民国家論をなぞった凡庸な議論で、良くも悪くも独創的で余人にはマネできない「無縁論」とは対照的です。

では何故、独創的な「無縁論」を展開していた網野さんが平凡な「日本論」にのめり込んでいったのでしょうか。これは私の推測で、まだ裏付けが取れていないのですが、歴史学界の「右翼に利用される」批判が一因なのではないでしょうか。結局、網野さんは批判に対して「そこまで責任は持てない」と突っ張りきれずに、月並みな〝正しさ〟に回収されてしまったのです。観念的・公式的なマルクス主義の呪縛から逃れ、独創的な研究を行ってきた網野さんが、最終的に観念的・公式的な国民国家論に行き着いたのは、何とも皮肉な話です。

歴史教育と歴史学の敗北

網野さんの話からいったん離れて、歴史教育の問題についても触れておきたいと思います。歴史修正主義的な議論で必ず槍玉に挙がるのが歴史教科書です。冒頭で述べましたように、つくる会が日本の歴史教科書を「自虐史観」と攻撃したのが一つの画期になっていると思われますが、その後、一貫して歴史教科書は批判されています。

百田さんの『日本国紀』でも随所に歴史教科書批判が見られます。奇説珍説を持ち出して教科書の通説を攻撃する、というパターンが多いのですが、「そもそも教科書にそんなことは書いていない」という藁人形論法も見られます。

たとえば『日本国紀』には、「韓国の歴史書や日本の一部の歴史教科書には、李舜臣はこの海戦（筆者注：露梁海戦）以外にもたびたび日本軍を打ち破ったと書かれている」と記されています。この一節に続いて、文禄・慶長の役（豊臣秀吉の朝鮮出兵）における李舜臣の活躍は過大評価されている、という議論が展開されています。その当否はさておき、要するに百田さんは「日本の歴史教科書なのに、日本と戦った敵国である朝鮮王朝の武将の活躍を賞賛するのは反日的でけしからん」と言いたいのでしょう。

けれども、「日本の一部の歴史教科書が李舜臣の活躍を事細かに記述している」という事実認識じたいが誤りなのです。最近、中学・高校の現役の歴史教師の方が『日本国紀』批判本を出しました（浮世博史『もう一つ上の日本史 『日本国紀』読書ノート』古代～近世篇・近代～現代篇、幻戯書房、二〇二〇年）。この本で、李舜臣の名前は登場するものの、「朝鮮出兵の具体的な海戦の名前が紹介されている教科書は皆無」と指摘されています。考えてみれば当然の話で、教科書の限られた紙幅で「閑山島海戦」とか「露梁海戦」といった具体的な海戦名を挙げている余裕はありません。

近現代史の記述も同様です。百田さんは、日本が他国に攻め込むことは「侵略」と記すのに逆の場合は「侵略」と書かない日本の歴史教科書は偏向している、という趣旨の主張を『日本国紀』で展開しています。しかし浮世さんは、文禄・慶長の役を「朝鮮侵略」ではなく「朝鮮出兵」と表記する教科書も散見され、「二〇一六年検定に合格したすべての教科書を見ても、『満州事変』『日中戦争』『太平洋戦争』の記述内に、一度も『侵略』は使用されていません」と反論しています。現実には現在の歴史教科書は中立的な表現を採っているのです。革新・リベラル陣営の歴史認識がそのまま日本の歴史教科書に反映されてきたわけでないことは、家永教科書裁判一つをとっても明らかでしょう。なお私は、前近代の戦争はともかく、近代日本の戦争、特に満州事変以降は「侵略戦争」と呼ぶのが妥当であると考えています。

歴史教科書の中立性については「自虐史観」を攻撃する側にも分かっている人はいて、倉山満さんは『常識から疑え！　山川日本史 近現代史編 上 「アカ」でさえない「バカ」なカリスマ教科書』（ヒカルランド、二〇一三年）で、「日本の悪口を正面切って書くような過激な教科書ではない」と指摘しています。倉山さんと違って、私は山川出版社の日本史教科書をバカな教科書とは思いませんが、思想性が強い教科書ではないという点は同感です。そもそも日本には検定制度がありますので、政治的メッセージを前面に押し出した教科書は良くも悪くも刊行できません。実際、つくる会が出した歴史教科書も、検定意見を受けて修正を余儀なくされ、彼らが当初目指していた内容と比べると穏健なものになりました。

百田さんたちが特に重視する「南京大虐殺」や「従軍慰安婦」などについても、歴史教科書は詳しく記しているわけではありません。日本人の大多数は、これらの問題に関する知識を、新聞・テレビの報道を通じて得ているのではないでしょうか。

彼らの言う「自虐史観」の〝主犯〟は歴史教科書ではないのに、なぜ教科書を目の敵にするのか。新聞が偏向していると言うより教科書が偏向していると言った方が人目を引くという側面もあるでしょうが、現代日本の中高の歴史教育に対して不満を持つ多くの日本人を味方に引き込もうという思惑が感じられます。

一般の日本人は中学や高校の歴史の授業に不満を持っています。左翼的だから、ではありません。事項羅列的で無味乾燥でつまらないからです。先ほど、教科書に強い思想性は見られないと述べました。その要因として、第一に検定制度が挙げられますが、それだけではないでしょう。覚えさせなければいけない歴史事項が多すぎるので、歴史観のようなものを示す余裕がないからです。教科書がつまらない、授業がつまらないから、まじめに勉強しない。しかし社会に出てから、日本の歴史について何も知らないのは恥ずかしいと反省します。そして手にとるのが『日本国紀』のような俗流歴史本、という流れです。

以前指摘したことがありますが、『日本国紀』には、いわゆる「ネトウヨ」だけでなく、「日本史を学び直したい」と思っている一般読者を取り込むために、あえて右翼色を抑えた節が見られます（「歴史学の研究成果の重みに敬意を―俗流歴史本と対峙する」『中央公論』二〇一九年六月号）。もし、中国や韓国を馬鹿にして溜飲を下げたい「ネトウヨ」ではなく、純粋に「日本史を学び直したい」人たちが『日本国紀』を買ったのだとしたら、これは歴史教育と歴史学の敗北と言わざるを得ません。

百田さんやその周囲の人たちは、『日本国紀』批判に対し、「だったら歴史学者が、正確で面白い、もっと売れる通史を書けば良いではないか」と反発しました。そうした通史を書ける潜在能力を最も持っていた歴史学者は、網野善彦さんだったと思います。ですが、歴史学界は網野さんの発信力を十分に活かしきれませんでした。それどころか、「右翼を利する」と批判したのです。私は生前の網野さんと会ったことがありませんので、もしかすると私の批判は、事情を知らない者の的外れな難詰《なんきつ》なのかもしれません。しかし素朴な感情として、残念だったな、と言いたくなります。

おわりに

網野さんのような悲劇を避けるには、ナショナリズムに利用されることへの過剰な危機感を捨てなければなりません。「右翼に利用される研究はダメ」ということになれば、研究の自由度は著しく下がります。極端な話、少しでも日本を肯定的に評価する研究であれば、「右翼に利用される」と非難し得るからです。「憲法九条を世界遺産に！」といった運動だって、民族主義的と言えなくはありません。いや、仮に日本の過去の誤りを批判する研究であっても、「日本」という枠組みに縛られている限りは、「ナショナリズムに利用される」と難癖をつけられるかもしれません。

確かに「日本国の歴史」や「日本民族の歴史」を全肯定することは難しいでしょう。しかしながら「日本列島の歴史」や「日本社会の歴史」の素晴らしいところを伝えることはできるはずです。網野さんがやろうとしたのは後者ですが、これを「『日本の誇り』という歴史観につながる可能性がある」と否定すべきではないと私は考えます。あくまで問題は、行き過ぎた自尊が差別や排外主義につながる局面です。素朴な「誇り」まで否定してしまったら、そもそも学校での「日本史教育」そのものが成り立たなくなるのではないでしょうか。

むろん「人類の歴史は世界的につながっているのであり、日本史を特権的に教える必要はない」というナショナリズム全否定の歴史教育も、理屈の上では実現可能です。ですが、仮にそれを実行した場合、公教育における「日本史」の欠落を、民間の歴史修正主義的な言説が埋めるという最悪の事態に陥るでしょう。

第三章で前川さんが、日本人は戦争や植民地主義の加害の過去に今なお向き合えていないと批判されていますが、これは「被害者意識」という国民感情に根差したものですので、容易には克服できません。事を急げばかえって反転し、護憲論の基盤すら掘り崩してしまうかもしれません。

「〝敵〟に利用される研究は許せない」という潔癖主義を捨てて現実的な対策をとる。小異を捨てて大同につく。これに尽きると思います。

第五章

歴史に「物語」はなぜ必要か

――アカデミズムとジャーナリズムの協働を考える

はじめに

私が担当する第五章の主題は、「歴史に『物語』はなぜ必要か」です。これはいささか奇妙に思われるかもしれません。物語とは、事実を探求する歴史にたいして、しばしばフィクション（虚構）を意味するからです。

そこで、誤解を招かないように、最初に「物語」の意味を確定させておきます。ここで言う「物語」とは、事件や出来事に意味づけを与え、ときに分かりやすく図式化し、人物の本質を生き生きと魅力的に描写することで、過去の事象と読者をなめらかに接続する技法、およびその成果物を意味します。

具体例を挙げたほうが分かりやすいでしょう。本書の問題意識のひとつは、歴史修正主義とどのように対峙するか、ということにありますが、その歴史修正主義者たちが用いるのも、まさに「物語」の一種です。

例えば、「近代の日本はすべて正しかった」「大東亜戦争はアジアを解放する聖戦だった」などが典型として挙げられます。かれらは、その思想信条にもとづいて、過去の事象を摘み食いし、都合のいい疑似歴史を作り上げる。そしてそれは、しばしば複雑な事実よりも分かりやすく、情緒に訴えるので、少なくない人びとの支持を獲得してしまう。「左翼が日本のマイナス面ばかり強調してきた」という「自虐史観」の捉え方も、その一例かもしれません。

　では、なぜそんないかがわしい「物語」を必要だというのでしょうか。その疑問にお答えし、具体的な活用の方法を考察するのが本章の主旨ですが、やや先回りして述べますと、それは、膨大な文献に目を通すことなしには接近しづらい歴史を、あるいは史実の評価を、手軽に人びとに広めるためには「物語」が非常に有効だからということに尽きます。

　歴史修正主義者は、それをよく理解しています。だからこそかれらは、「美しい物語」「受け容れやすい物語」を武器にして、みずからの思想信条を広めようとしています。それにたいし、真面目にコツコツと積み上げるタイプの歴史はどうしても分が悪い。こうした状況を改善するためには、「物語」も再評価しなければならないのではないか。それが、私が「歴史には物語も必要である」と主張する理由です。

1 「人間の生物的な限界」と「メディアの商業主義」

アカデミズムとしての歴史とジャーナリズムとしての歴史

このように考えたことにはきっかけがあります。

ネット右翼や右傾化などをテーマにした、トークイベントに呼ばれたときのことです。最後に、「歴史修正主義の問題は分かりましたが、全然それが改善されていないんじゃないでしょうか」という質問を受けました。換言すれば、これは、いままでの取り組みはどれくらい有効だったのかという、厳しいご指摘です。

そうした指摘にたいして、私はあるときまで、「ひとつひとつ事実を指摘していく」とか、「従来のやり方を根気強く続けていくことが大切」などと応えてきました。

しかし、こういうことを繰り返しているうち、いつの間にか、身の入っていない、官僚答弁のようになっていないかと反省するようになりました。たしかに、事態はよくなるどころか、悪化しているところもないではない。ならば、これまでとは違ったアプローチの仕方も考えることこそ、自分のような仕事をしている人間の責務なのではないか。そう考えるようになったわけです。

そもそも私は、近現代史をテーマに、文筆で生活している著述家です。昔から歴史には、大学など研究機関を拠点とするアカデミズムの書き手と、雑誌など商業媒体を拠点とするジャーナリズムの書き手がいると言われてきましたが、私は明らかに後者に属します。具体的には、半藤一利、保阪正康、澤地久枝などの各氏が挙げられます。ノンフィクション作家と呼ばれたり、昭和史研究者と言われたりするような方々ですね。

こういった人たちは、「物語」の優れた使い手でもありました。だからこそ、広い読者を獲得できたのです。そして今から振り返れば、かれらの活動こそが、より良質な物語を提供することを通じて、歴史修正主義の拡散を抑止していた面があったのではないかと思うのです。

もちろん、「ジャーナリズムとしての歴史」は、一歩間違えると、「右翼の盛り場」に陥りかねません。第一章で、倉橋さんが、戦時中の朝鮮人慰安婦についての記述を復活させた「学び舎」の教科書を採用した灘中学校が、大量の抗議の葉書や嫌がらせを受けたことに言及していますが、その運動を煽動した人も「近現代史研究家」を名乗っています。そういった意味では玉石混交ですけれども、そのような困った人がいるからと言って、「ジャーナリズムとしての歴史」をすべて切り捨ててよいということにはならないはずです。

重要なのは、物語の否定ではなく、その水準向上であり、若い世代がこれを継承・更新させることではないでしょうか。それが、かつてそうであったように、アカデミズムの研究者が提供する学知を、市民に繋ぐ重要な役割を果たすことにもなるからです。私がこのような場所に呼ばれた理由も、そのような役割を期待されているからだと思います。

「実証主義的マッチョイズム」の弊害

歴史修正主義が広まりつつある現状については、先述した倉橋さんのご報告で詳述されています。ですので、ここでは、なぜそのようなことが起きているのかについて、「人間の生物的な限界」と「メディアの商業主義」という、少し俯瞰した点から考察してみたいと思います。

まず、最初の点から説明しましょう。これは当たり前のことですが、人間の時間や能力には限界があるということです。専門的な議論では見落とされがちですけれども、歴史修正主義という現象を考える以上、忘れてはいけない点です。

人間の寿命は八〇歳くらいであり、その間に仕事も生活もしなければならず、歴史のことば

図表1　1カ月に大体何冊くらい本を読むか

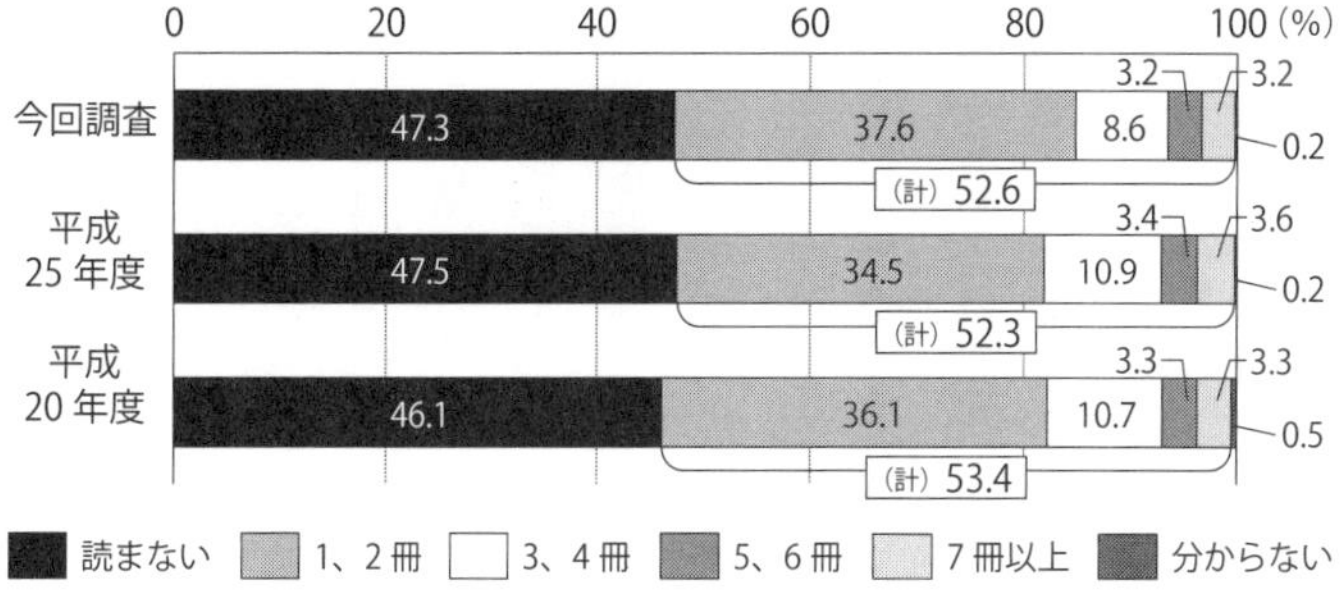

（出典）文化庁「国語に関する世論調査」（平成30年度）

かり考えてはいられません。小中高校で歴史を勉強し、大学で歴史の講義を受けたとしても、その後まったく知識が更新されないことも珍しくないでしょう。政治家や官僚、あるいは会社の経営者など、知的とされる仕事をしている人であっても同じです。

まして、歴史修正主義と深い関わりがある近現代史に絞れば、どれだけ文献が読まれているでしょうか。専門家は「あれを読め」「これを読め」と良書を列挙しますが、よほど時間がない限り、なかなか手が回りません。通勤電車のなかで本を読むより、スマートフォンでウェブサイトの記事を読むことのほうが、多くの人にとっての身近になっている。そんな現状を、現実として見つめなければなりません。

日本人はどのくらい本を読んでいるか、その根拠となるデータもあります。図表1です。二〇一九年の調査ですが、一カ月に一冊も本を読まない人がなんと四七・三%もいます。毎月一、二冊の人も加えると八五%近くに及びます。つまりほとんどの人が、一年に二四冊も本を読まないのです。そこには、自己啓発書や料理のレシピ本、健康書、筋トレの指南書なども含まれているでしょうから、歴史の本になると、本当に心もとない。しかも、それは戦国時代ものかもしれないし、中国史や世界史の本かもしれません。仮に日本の近現代史関連だったとしても、百田尚樹氏の『日本国紀』かもしれないのです。

歴史を本業にしている人は、どうしても「なぜこんな基本文献も読んでいないのか。最低でも一〇〇冊は……」などと言いがちなのですが、それは専門外の人には――ジャーナリスティックな表現で恐縮ですけれども――「実証主義的マッチョイズム」に映りかねません。

個人的な経験になりますが、今年の二月二六日、二・二六事件の記事を講談社のウェブサイト「現代ビジネス」に書きました。そのなかで「朕自ラ近衛師団ヲ率ヒ、此ガ鎮定ニ当ラン」という昭和天皇の言葉を取り上げたのですが、「この記事を読んで初めて知った」という読者の声をいただきました。

はじめ、エッと思いました。この発言は、かなり有名なものだからです。とはいえ、すぐに考え直しました。この発言はすべての教科書に載っているわけではないし、たとえ授業で教えられたとしても、あらゆる人の記憶に残るわけでもない。仮に歴史が得意な人でも、生物や物理などでは、同じような状態なのではないでしょうか。

歴史修正主義という社会現象を考える以上、そういう人びとにどのように情報を届けるかを真剣に考えなければなりません。かれらを「不勉強だ」とバカにしたり、切り捨ててしまえば、かえって歴史修正主義に誘導するリスクさえあります。

なにせ、歴史修正主義者たちの本は、分かりやすく、読みやすいのです。一冊読めばすべて分かったような気になる。しかも、日本がいかに美しく偉大であったかという「快楽」までおまけでついてくる。「実証主義的マッチョイズム」の称揚は、ときに逆効果になりかねないと恐れるゆえんです。

思い返してみれば、戦後のある時期までは、戦前の日本の侵略や戦争を反省し、二度と悲劇を繰り返さないという考えが広く共有されていました。それが、戦争経験世代の減少とともに、薄れていってしまった。その虚を歴史修正主義者に衝かれたところもあったのではないかと思います。

時代の経過とともに歴史との関わり方が変わってくるのはやむを得ませんが、まったくの更地から歴史に取り組めというのは過酷です。手がかりとなる物語もうまく活用しなければなりません。

「思想的潔癖主義」の弊害

次に、もうひとつの「メディアの商業主義」について説明します。

これも忘れられがちなのですが、メディアというものは、新聞社にせよ、出版社にせよ、基本的に利益を求める私企業であり、商業主義的かつ時局便乗的な性格を持っています。歴史を少し振り返れば分かるように、いまの大新聞の多くは、ゴシップ誌のような出自を持っていますし、老舗のメディアは、日中戦争やアジア太平洋戦争下にだいたい戦争協力をしていました。

この商業主義的な部分は、悪く作用すると、ヘイト本を生み出す温床になります。版元が昨今この手の本を続々と出すのは、イデオロギー的に賛同しているからというよりも、たんに「儲かる」からでしょう。いまは出版不況なので、愛国ビジネスが生き残り策になっているという面があるわけです。

とはいえ、ここで商業主義それ自体を否定してはなりません。無軌道で自由自在な商業主義があるからこそ、猥雑な文化が生き残れるのであり、表現の多様性も担保されるのです。ポリティカル・コレクトネスで完全に規律された、まるで教科書のような本しか出せなくなれば、文化は破滅に向かわざるをえません。

そうではなく、この「いかがわしさ」のなかで、いかにやっていくかを考えるべきなのです。

これにたいして、「あの出版社は政権に近いので、絶対にその本を買わない」などと言う人もいます。個人の行動なので好きにすればいいと思う一方で、これを突き詰めると、どんどん出版業が干上がっていくのではないかと危惧します。

例に出して申し訳ないですけれども、歴史の分野では評価が高い中公新書、その版元の中央公論新社だって、読売新聞社の傘下に入っているわけです。これも、ある種の政治的な傾向を持つ人にとっては、アウトとなるかもしれない。

この「思想的潔癖主義」の果てにあるのはなんでしょう。なるほど、ヘイト本や右翼本に断固として反対する中小の版元もあります。それは倫理的に結構なことですが、そういうところは得てして出版時の契約条件がよろしくない（笑）。ブラック企業反対と言いながら、自分たちは搾取紛いのことをやっているというケースもある。「リベラルの欺瞞性」と言われても仕方ないわけですが、私のような著述家にとって、これは致命的なことです。つまりサステナビリティーがないわけで、結果的にみんな貧しくなり、愛国ビジネスに活路を見いださざるをえなくなっていく。学術系の出版社で、そうなってしまった例だってすでにあるのです。

したがって、商業主義的な「いかがわしさ」のなかで、少しずつ、改善の試みをしていく。この道しかないのではないでしょうか。

これはさきほどの論点とも関わります。人間に寿命がある以上、ある程度「いかがわしさ」

と付き合わなければならない。問題はその排除ではなく、うまい付き合いかたなのです。人間や、その人間が作り上げる社会が完璧ではない以上、かならず中途半端な部分を抱え込まざるをえません。仮に完璧を追い求めても、それを達成できないまま死んでいくのが関の山です。それを前提に物事を考えなければなりません。

2 キャッチフレーズの活用

安全装置としての「物語」

以上、歴史修正主義が蔓延する昨今の原因について考えてきましたが、そのなかでおのずと対策も見えてきたのではないかと思います。

これまで行われてきた対策は、ファクトチェックや良書の出版などです。言うまでもなく、それらは非常に重要な仕事です。とはいえ、これだけでは「何も変わっていないじゃないか」という批判にうまく答えられません。

そこで、物語を「安全装置」として用いること、言い換えれば、より良質な物語を提供することで、劣悪な物語を抑止すること、これが考えられるのではないか、というのが今回の提案です。

物語の力とは、じつに大きなものです。今日、歴史修正主義の台頭とともに、それを批判的に検証する実証主義の立場がもてはやされています。これは「実証 vs.物語」の対立軸であり、「実証」が功を奏しているようにも見えます。

とはいえ、よく観察しなければなりません。そこでもてはやされているのは、本当に実証主義的な地道な方法論だけなのでしょうか。ネットを見ていると、むしろ「実証が物語を征伐したぞ」という物語が、面白く、痛快で受けているだけのようにも見受けられます。

換言すれば、「実証 vs.物語」は架空の対立軸で、むしろ実際には、物語と「物語否定の物語」というメタ物語が対立しているのではないでしょうか。

それがいけないというのではありません。歴史修正主義者のデタラメな物語に対抗するには物語も使えるし、またすでに使われていると言いたいのです。そして物語を使っている以上、それを自覚しておかなければなりません。

すでに述べたように、人間の能力には限界がありますから、すべてのことにたいして実証主義的な、精密な態度で臨むことはできません。私たちの思考には、かならず物語的な要素が入ってきてしまうのです。であるならば、その物語とうまく付き合っていく方法を模索するべきだと、私は考えるわけです。

保守派の物語——教育勅語、君が代、御真影

では、歴史修正主義の物語に対抗するにはどのような方策があるのか、具体的に考えていきましょう。そのひとつとして、キャッチーなキーワードの発明が挙げられます。

このことを説明するために、まず、歴史修正主義と密接に関係している、保守派の言説を取り上げてみます。かれらは、「君が代」とか「教育勅語」「御真影」（以下、煩瑣なのでカッコは取ります）といった記号を組み合わせて、誰にでも分かりやすい物語を構築しています。

二〇一七年初頭に大きな話題になった、森友学園の「愛国教育」がまさにそうでしたね。安倍昭恵氏が入れ込んでいたことでも有名になった「軍歌を歌う幼稚園」、その運営元である同学園は、天皇皇后の肖像写真を無造作に掲げ、園児に君が代を歌わせ、教育勅語を大声で暗唱

させるなどしていました。

よく見ると、その使い方はかならずしも戦前のそれに則っておらず、場合によっては「不敬」になるようなものさえあったのですが、少なくない保守系の文化人や政治家たちによって称揚されていました。つまり、かれらはその歴史や意味内容についてかならずしも熟知していない、ということが判明したわけです。

教育勅語は分かりやすい例です。保守派とされる政治家や教育者には、決まり文句のように「教育勅語には普遍的な部分がある」と主張します。しかし、どこが普遍的かと問われると、とたんにあやふやになるのです。

稲田朋美氏は防衛相だったとき、参議院予算委員会で教育勅語について問われ、「日本が道義国家を目指すべきであるという、その核」「その教育勅語に流れているところの核の部分、そこは取り戻すべきだ」と発言しましたが、教育勅語には「道義国家」とはひとことも書かれていません。あるいは、柴山昌彦氏は文科相だったとき、「現代風に解釈され、アレンジした形で、道徳などに使うことができる分野は十分にある」と発言したものの、具体的にどこかと問われると、「国際的な信義を重んじる」ところなどと答えています。しかし、やはり教育勅語にそんなことは書いてありません。

これでは、教育勅語をろくに読んだことがないと言われても仕方ないでしょう。かれらにとって教育勅語とは、むしろ「私は保守政治家です、日本の伝統を大切にします、だから選挙で投票してください」という旗印なのではないかとすら思えてきます。意見が対立しないで済むという点では、むしろ中身は知らないほうがいいかもしれませんが……。

いわゆるネット右翼の言説に対象を広げても、同じことが言えます。今度は君が代を取り上げてみましょう。国歌としての君が代の「君」は、天皇を意味します。だからこそ、明治以来、事実上の国歌として採用されてきたわけですし、戦前の教科書でも「我が天皇陛下のお治めになる此の御代は、千年も万年も、いつまでもいつまでも続いてお栄えになるやうに」と説明され、現在の政府見解でも「日本国憲法の下では、日本国及び日本国民統合の象徴である天皇と解釈するのが適当」と記されているわけですが、にもかかわらず、ネットには「君」を「あなた」と解釈している書き込みで溢れています。

そしてそこでは、「君が代の『君』は『あなた』であり、君が代はラブソングである。そんな普遍的な歌を否定するようなものには、人間性の欠片もない」などと主張されているのです。つまり、かれらもまた、君が代の意味やその歴史には関心がなく、「敵＝左翼叩き」に焦点があたっているわけです。

御真影についても同様でしょう。昨年愛知県で開かれた国際芸術祭「あいちトリエンナーレ２０１９」に関して、出展作品のひとつが「昭和天皇の写真が燃やされている」と問題になったことをご記憶の方も多いと思います。その作品、大浦信行氏の「遠近を抱えて PartII」の是非についてはおくとして、ここで問題にしたいのは、批判者たちがしばしば御真影という言葉を使っていたことです。「御真影を焼くなんて不敬だ」というのがその一例です。

御真影は、貴人の肖像画や写真の尊称としても使われますが、天皇に関して使う場合、通常、戦前に宮内省が各学校などへ配布した「天皇・皇后の公式写真」のことを言います。つまり燃やされたとされる写真は、その意味でかならずしも御真影でなかったのですが、ほとんど問題にされることもありませんでした。批判者たちは、あれだけ天皇にこだわっていたにもかかわらずです。御真影という言葉のインパクトが優先されたのでしょう。

キャッチフレーズ活用の実例

このように、保守派の記号はじつに空疎であり、味方と敵を識別する旗のように使われています。これに対抗しようとするとき、教育勅語や君が代の歴史や内容に詳しく触れても、かならずしも響きません。そこは端から問題になっていないケースも多いからです。ではどうすればよいでしょうか。

また個人的な話で恐縮ですが、私は、森友学園事件の話題がたけなわだった二〇一七年二月、「現代ビジネス」に「『軍歌を歌う幼稚園』森友学園の愛国教育は、戦前だったら不敬罪!?」というタイトルの記事を書きました（https://gendai.ismedia.jp/articles/-/51052）。そこでは、その愛国教育がいかにデタラメなのかファクトチェックするだけではなく、いちど聞いたら忘れられないような、できるだけキャッチーなキーワードを入れるように心がけました。

「愛国コスプレ」や「戦前の二次創作」といった言葉がそれです。つまり、森友学園の愛国教育は、戦前への回帰ではなく、その衣裳をまとったものであり、教育勅語などをいい加減に扱って許されているという点では、終戦記念日に靖国神社に出没する軍服コスプレ集団と同じように、むしろ戦後民主主義的ですらあるということです。

記事に印象的なフレーズを入れるというのは、ジャーナリズムの手法のひとつであり、これによって多くの人に拡散される可能性が出てきます。結果的に、拙稿はたいへん広く読まれ、あちこちで引用もされました。ああいう保守派の振る舞いがいかに空虚なのか、多少なりともお示しすることもできたのではないかと思います。もし事実をたんたんと指摘するだけならば、あそこまで伸びなかったでしょう。品がないと言われるかもしれませんが、こういう風に商業主義的な手法を取り込むやり方もあるということです。時局便乗は、かならずしも悪く作用するわけではありません。

念のため付け加えれば、このようなキャッチフレーズは、随時更新していくことも欠かせないでしょう。リベラル業界に「受ける」言葉を連呼し、その歓心を買うだけでは、保守派の言説と大差なくなってしまいます。

その点、自戒を込めて言うのですが、「戦前」という言葉は要注意です。あれも戦前、これも戦前と一緒だ――という指摘は、あまりに単純すぎます（残念ながら、これはある種のメディアでたいへん評判がいいのですが）。もちろん、現在と戦前との比較検討は大切ですけれども、そこには類似とともに差異もあるはずで、単なるレッテル貼りになっては意味がありません。フレーズやキーワードは常に上書きされ続けなければならず、われわれには柔軟性が求められます。

3 「大まかな見取り図」と座談会文化の見直し

「一冊でわかる」「早わかり」はすべてトンデモか

キャッチーなフレーズだけでは、やや物足りなく感じられるかもしれません。ほかの対策も考えてみましょう。やはり、保守派の物語に対抗しうる別の物語を構築すること、これを試みるにしくはありません。

ここでヒントとなるのは、「一冊でわかる」「早わかり」「全史」といった類の、トンデモ本と思われかねない仕事です。こういう謳い文句の書籍はちまたに溢れています。歴史だけではなく、哲学や文学にも、そのような本はあります。

言うまでもなく、一冊読んで世界史や哲学のすべてがわかるはずはなく、そうした類の書籍にはどこか杜撰な面もあるのでしょう。ですから、そのすべてを肯定するわけではありませんが、そうした書籍にも一定の社会的な役割があるのではないでしょうか。すでに述べたとおり、人間の時間や能力には限界があり、誰もが難解で分厚い歴史書を何冊も読めるわけではないからです。

一般向けの本で行われているのは、いわば「大まかな見取り図」の提示です。少し前に、半藤一利氏が授業形式で語り下ろしした『昭和史』（平凡社、二〇〇四年。現在は平凡社ライブラリーに収録）がたいへんな人気を博しましたが、これがいい例だと思います。昭和史は研究が進む一方、細分化され、全体が見渡しにくくなっています。そうしたなかで、やや荒くとも「大まかな見取り図」を示すことには大きな意味があると思います。細かいことは別として、昭和とは「だいたいどういうことだったのか」ということを簡単に知りたい人は多いのですから。

ちなみに、最近では「講義」と銘打った新書版の近現代史の入門書などもよく出ています。専門家たちによる論集ですが、やや難度が高く、一般層へのアピールという点では、半藤氏などに一日の長があります。そもそも、こういう「講義」本を読みこなす層は、歴史修正主義の問題についてあまり心配する必要がないと思います。

「大まかな見取り図」の提供というのは、言い換えれば、「大体これくらいでいい」という知識だとか、思考の枠組みみたいなものを提供するということです。政治家や官僚、企業経営者といった社会の指導的立場にある人びとがよく手にするのも、多くの場合、そういうものでしょう。

今年は新型コロナウイルスが全世界的に猛威をふるい、人類は未曾有の危機に晒《さら》されています。そのような危機のときには、政治家や官僚の迅速な決断が、事態を大きく左右します。したがって、政治家や官僚の資質が非常に大きな問題となります。もちろん、専門家の意見を聞くことは大切ですが、その助言に耳を傾けつつ、最後に政治・経済・社会の全般に関わる総合的な判断をするのは政治家たちです。そのとき、歴史の素養も大きな力になるでしょう。危機にこそ、かれらに届く本が必要なのです。

一冊で歴史のすべてが分かる本など書けるはずがない。あるとすれば、そんなものはインチキだ。専門家がそう言いたくなる気持ちも分かります。しかし、その一方で、そういう本への需要は絶対になくなりません。もしそこに良書を供給することをやめれば、別のものによって埋められるだけです。

現実を見てみましょう。国会内の書店では、三橋貴明氏や上念司氏の本がよく売れているそうです（なかなか行けない「国会議事堂にある書店の売れ筋は？『評論家は上念司や三橋貴明』名物店主が政治家の教養低下に喝！」『産経ニュース』、二〇一七年五月一六日、https://www.sankei.com/premium/news/170516/prm1705160002-n1.html、二〇二〇年六月一二日閲覧）。その読者が、この国の高等教育の未来も左右することになるかもしれません。それで本当によいのかどうか。ぜひ考えていただければと思います。

「鋼のメンタル」だけが生き残る？

残念なことに、今日「大まかな見取り図」の試みは、ときに一部の専門家や歴史マニアの粗探しの標的となり、SNSなどで袋叩きにあっています。もちろん、間違いが指摘されるのは結構なことですが、そこに最低限の敬意も礼節もなく、「祭り」として消費されているのは好ましい状態ではありません。知識のある自分たちが冷遇されているという不満は分かりますが、「史料で殴る」などと称する専門知の不遜な誇示は、かえって世評を落とし、みずからの立場も悪くするだけではないでしょうか。

最近たまたま見かけたところでは、出口治明氏が俎上に載せられていました。実業家出身の出口氏は、『全世界史』『人類5000年史』『哲学と宗教全史』『0から学ぶ「日本史」講義』など多くの歴史関連本を出版していますけれども、そういうものがやり玉にあがったわけです。

たしかに、出口氏は歴史の専門家ではありません。ですから、専門家が読めば間違いがあるのでしょうが、それはご自身も自覚されており、あるインタビューでは、私は別に専門家ではないので、詳しく知りたい方は専門家の本を読んでください、と答えていました。私は非常にまっとうな方だなと思いました。

にもかかわらず、一部の専門家や歴史マニアはそれですら許さないのです。いや、かれらだけならまだいいのですが、人文書読者の一部もこれに和してしまっている。公共性を装っていますが、そこに憂さ晴らしや、歪んだ承認欲求が感じられ、見るたびにいやな気持ちになります（本当に公共性があるのならば、YouTube に山のようにある「歴史動画」の検証でもやればいいのですが、問題になるのはSNSで流れてくるものばかりです。それが「祭り」と呼ぶゆえんです）。これで良質な全体像を提示できる書き手が萎縮し、書くことを止めてしまったら、大きな損失となるでしょう。

というのも、その結果台頭するのは、専門家の批判などまったく意に介さず、「大炎上」をものともせず、歴史改竄にも平気で手を染める「鋼のメンタル」の持ち主や、「歴史学者は極左集団」と言って憚らない人たちだからです。「大まかな見取り図」が、保守系のデタラメ本ばかりで埋め尽くされてしまう。これは、最悪のシナリオです。いや、評論家の本などを含めて――私はもちろん、評論家の仕事も重要だと思っていますが――、現にそうなってきているのではないでしょうか。

こうした状況はたいへん不健康と言わざるをえません。専門家や歴史マニアの知見が、不毛なあら探しに回るのではなく、一般向けの歴史書をレベルアップさせるために使われる、そんな回路を作れないものか。常々そう考えます。つまり、「実証主義的マッチョイズム」でも、歴史修正主義でもない、第三の道がないだろうかと考えるのです。

いささか奇妙な例えかもしれませんが、「実証主義的マッチョイズム」は、ネタは新鮮で職人の技術も超一流だけれど、店主が頑固で、店構えも独特な、客を選ぶ個人経営の寿司屋のようなものです。一方で、歴史修正主義者は、店構えも能書きも一見立派でチェーン展開もしており、「これはどこどこで取れた」ともっともらしい物語を語ってくれるものの、ネタが半分腐っているような店です。とはいえ、もっとも社会で需要があるのは、ネタもサービスもそこそこ良くて、気軽に入れる良質な大衆店ではないかと思うのです。そしてこれこそ、「大まかな見取り図」なのです。

頑固な個人経営店（A）と、商売上手のチェーン店（B）だけでは、どちらが覇権を握るかは火を見るより明らかでしょう。それゆえ、中間の良質な大衆店（C）が必要、と言い換えてもいいかもしれません。Bの駆逐のため、私はAとCの協働が必要だと考えています。

信頼関係を醸成した座談会文化

そもそも、以前はそういう協働がしっかりと存在していたはずです。いま問題になりがちな昭和史など、まさにそうでした。

機動力のある商業媒体があり、そこで働く書き手がたくさんいたからこそ、存命だった旧軍人や官僚、政治家たちの証言があれだけ大量に集められたのです。『昭和天皇独白録』が代表的ですが、公式記録の『昭和天皇実録』にも採用された第一級資料の少なからずが、商業媒体で発表されたものだということを思い返してみてください。それが、巡り巡ってアカデミズムの研究にも役立っているのです。国の研究助成だけでは、あそこまで網羅的に集められなかったでしょう。その点、アカデミズムとジャーナリズムはウィンウィンの関係にあったわけです。

それが、近年両者の関係が悪化しているように見えるのはなぜなのか。デタラメなことを書く作家が出てきたこともあるでしょうが、それ以外にも理由が考えられます。

そのなかでも大きいのは、二〇〇〇年代に進行した雑誌の衰退でしょう。ご存知のとおり、バブル経済の崩壊、インターネットの出現、フリーペーパーの台頭などを背景に、雑誌市場は急速に縮み、その数も減少しました。その結果、座談会文化が衰退してしまいました。

座談会というのは、専門家、作家、評論家、政治家、実業家などといったさまざまな人たちを集めて喋らせるという、雑誌がよくやってきた企画のひとつです。座談会文化の隆盛期には、旅館に作家や専門家を缶詰にして、一晩中しゃべらせて、それをまとめて雑誌に掲載するということもあったと言います。

ここで重要だったのは、さまざまな分野の人びとがコミュニケーションを取ることで、相互の信頼関係を醸成する、サロンのような機能を果たしていたということです。同質の人ばかりが集まると、クラスターのような仲良しグループを作りますが、クラスターとクラスターの間には対立や相互不信が生まれがちです。いまのSNSなどはその典型で、エコーチェンバーのなかで罵り合いばかりが起きています。

座談会には、その対立や不信を氷解し、信頼関係を醸成する機能があったように思います。お互いをまったく知らない人たちが集まって、とりあえず話をしてみることで、違った立場や意見の人同士であっても、共通点が見つかったり、認め合えるところが見つかったりといった作用が起こりえます。雑誌が減少し、座談会文化が衰弱してしまったことにより、知識人と呼ばれる人びとの間に、相互の信頼関係が失われてしまったのではないかと思います。

論壇などと言うと、これまた一部の専門家コミュニティーのなかで評判が悪いのですが、その公共的な役割はけっして無視できないはずです。今後、オンラインやウェブ番組などでその代替ができないか模索しなければなりません（現状では、動画コンテンツは分断を煽る方向に使われることが多いのですが……）。

それでも「健全な中間」を模索すべき

以上、歴史修正主義の原因とその対策について、私の考えるところを述べてきました。その結論をあえてざっくり言えば、「これくらいでいいじゃないか」という基準をどのように再構築するのか、これに尽きます。

人間はどうしてもいい加減な存在ですから、いい加減さと適度に付き合うほかない。物語はその点、人間の本質に根ざしています。ですから、繰り返しになりますが、いま必要なのは物語の排除ではなく、その絶え間なき向上なのです。

そのためには、健全な中間を模索する姿勢が大切です。今日、「中間」や「中立」という言葉は評判がよくありません。ネット右翼が、「右でも左でもない普通の日本人」と名乗りながら、明らかに偏ったことを吹聴しているからです。とはいえ、本来はけっして悪い意味ではないはずです。

誰でも当然なにかしら偏っている。それを自覚しながら、それでもさまざまな意見に耳を傾け、より多くの知識を獲得していくなかで、できるだけバランスを取ろうと不断に努力する。専門知と一般社会との関係も同じで、両者を完全に分離させず、その橋渡しをする中間を模索することがこの社会のなかでも必要だと思います。中立の模索をやめてしまうと、われわれはただ極端な方向に流れていくだけです。

今後も、歴史はさまざまな政治勢力に狙われ続けるでしょう。そこには、人びとを動員しやすい刺激的な記号が満載だからです。日本が「世界の中心で輝いていた」ように見える、昭和史などはまさにそうだと思います。

それに対抗するためには、歴史的事実のチェックを厳密に行っていくことは大前提としながら、アカデミズムとジャーナリズムが協働して、より良質な物語も提供していく。少なくとも、その試みを妨げない。これが大切なのだと考えます。それが、「なぜ歴史修正主義は収まらないのか、有効な手はほかにないのか」という問いにたいする、私の現時点での応答になります。

第六章

【座談会】「日本人」のための「歴史」をどう学び、教えるか

前川　ここまで、それぞれの立場から歴史問題を論じてきました。第一章では倉橋さんが社会学の見地から、消費者の目線で「歴史」が評価されるようになった傾向について、第二章と第三章では、前川が世界史の観点から、「加害の歴史」を問うことの困難を、第四章では呉座さんが、歴史学が「自虐史観」批判とどう対峙すべきかについて、第五章では辻田さんが「ジャーナリズムとしての歴史」と学知の連携、そして歴史の見取り図としての「良質な物語」の必要性について論じてきました。

こうして学知と社会、ミクロとマクロ、現状から未来へと、得体の知れない歴史問題をとらまえる切り口を幅広く論じてきたわけですが、そうした各論をふまえた総論的な話を、本日は座談会というかたちで行ってみたいと思います。そもそも本書の原型は、昨年秋に開催されたシンポジウムでの講演にあるわけですが、そこでは参加者から多くの質問票をいただいておりました。当日は十分な時間がなく、すべてを取り上げるわけにはいきませんでしたが、重要な論点がいくつも示されています。本日の座談会では、そうした論点も含めて、ざっくばらんに話し合ってみたいと思っています。みなさん、どうぞよろしくお願いします。

歴史学だけの問題ではない

前川　まず、歴史修正主義の台頭について、あらためてみなさんの認識をうかがわせて下さい。私たちはそれぞれ異なる角度で論じているわけですが、議論の前提には、一九九〇年代以降に歴史修正主義が社会への影響力を強めてきたことに対する危機感がありました。

倉橋　第一章でも触れていますが、これは歴史学だけの問題ではないと認識しています。歴史修正主義の問題は、歴史学に限らずイデオロギーの左右対立の問題と捉えられるのが一般的ですが、そもそも左右というラベル自体が分かりづらくなっているという現状があります。歴史修正主義には、日本人の誇りに関心があるから史実はあまり重視しないという特徴がありま す。そうした現状はよく右傾化と呼ばれますが、社会に対する不安や不満を持つ人々の心情と親和性があると述べる研究者もいます。つまり、対立軸は左右のイデオロギーだけが問題なのではなく、階層対立だという可能性です。現状を認識するには、左右の対立に覆い隠されてしまっている、本当の対立軸をすくい取るといった視点が必要だと思います。

呉座　同感です。左右では分けられない問題も多いと思います。倉橋さんの論考で、右派とスピリチュアル系の親和性が指摘されていましたが、一方で左派であるエコロジー・環境問題の運動家のなかにもスピリチュアル系と結びつく人がいますよね。

辻田　右左は、ほとんど「これは右」「これは左」と分類するラベルになっていると思います。対立軸のもと整理することで、複雑な現実をすっきりと見えた気にさせてくれるわけです。ただ、日々の生活に忙しい人々に社会の問題を分かりやすく発信することは必要ですけれども、やり過ぎると互いに相手にラベルを貼り合い、敵と味方を作って終わりという不健全な振る舞いになってしまいます。ですから、社会の捉え方をバージョンアップしていくという意識を常に持たなければいけません。そうすることで、硬直した左右の対立図式を乗り越える道も見えてくるのではないでしょうか。

曖昧になった右左の概念

前川　そもそも左とは何か、右とは何かが曖昧になってきていますね。私が書いた植民地主義や「歴史認識」の問題に関して言うと、植民地主義の歴史を持つ国々では、それを否定すると現体制の正当性まで問われることになりかねないため、国として「歴史認識」を考え直そうということにはなかなかならないわけですが、もしかしたらそうした国の姿勢に対する距離感で左右が分かれるかもしれません。あえて言うならば、国にべったり寄っているのが右派で、批判的な立場が左という感じです。

辻田　前川さんはイギリスがご専門ですが、イギリスにも左右の対立はあるのですか。

前川　政治に関しては曖昧ですね。保守党と労働党の二大政党制ですから、保革の対立のような印象があるかもしれませんが、明らかに右を標榜する国民党などを除けば、保守党も労働党も、左右というよりは基本は中道なんです。あえて言えば、保守党は中道右派、労働党は中道左派といったところでしょうか。ですが、保守党のなかにも左寄りの人はいるし、労働党のなかにも右派的な人はいる。ですから、明確な左右の対立は見えにくい。

政治の対立軸は、左右というより、サッチャー改革の是非としてあらわれています。要するに、新自由主義に対する姿勢です。最近も、「新自由主義の申し子」と言われたボリス・ジョンソンが、自分が新型コロナウイルスに感染して、国民保健サービス（ＮＨＳ）をサポートする気になったのか、あるいは何かのパフォーマンスか知りませんが、「社会というものがまさに存在する（there really is such a thing as society）」と発言しましたね。これは、知っての通り、サッチャーの「社会なんてものはない（there is no such thing as society）」という言葉、つまりは新自由主義哲学の否定になります。ジョンソンの口からそんな言葉が出てきたのは驚きだと、世間の注目を集めたわけです。その真意はつかみかねますが。

一方、イギリスでは、論壇と言っていいかわかりませんが、例えばタブロイドと言われる大衆紙には右の新聞が見られますし、高級紙は『ガーディアン』紙のような左やリベラルを標榜する新聞があります。でも、私の印象では、左右双方に論壇誌があって鋭角に対峙しているという感じではない。政治の話ではないですが、やはり中道なんですよね。

そこで、倉橋さんにうかがいたいのですが、社会学的な視点で言うと、そもそも日本では右と左の概念はどのように受け止められているのでしょうか。

倉橋　一般的な定義として知られるものは、右とか右翼と言われるのは、基本的には国家を中心に考える人たちだと言っていいと思います。日本だと天皇を中心に国家を考えます。さらに非常に復古的なイデオロギーです。保守と言うときには、変革には慎重で、過去から現在へと続いてきた秩序を支持する人たちだと言えます。

一方、左派はドラスティックな改革を進め、社会主義や共産主義を標榜する人たちのことを言う場合が多く、リベラルは革新的で社会を変革しながら良い方向を目指す人々と語られます。ですが、もちろん、左右は相対的な概念で、（いま前川さんがイギリスの状況を説明して下さったように）時代や社会によって概念のなかに入れられる要素は異なります。辻田さんのご指摘通り、ラベリングに使われることも多く、例えば、歴史修正主義者は、それに反対する人たちを一括りにして、共産主義者だとかリベラル勢力だと批判します。フェミニズムに対しても、マルクス主義だ、コミンテルンだ、とレッテルを貼ります。しかし、実際は、歴史修正主義に反対する人たちにも、左翼や共産主義ではない人も大勢いるわけです。こうしたラベリング的な要素がある以上、反対のことは左派による右派批判にも起こり得ます。

主張のパッケージ

辻田　よく指摘されるように、ソ連が崩壊した後、右左の違いが分かりづらくなったという状況があります。日本の論壇には、右左を分かつ思想的な根拠は見出しにくく、主張のパッケージというか、何か束のようなものがあって、それが〝右〟や〝左〟と呼ばれている印象です。例えば、原発は推進で、基本的に自民党を支持し、女性の社会進出や夫婦別姓、ジェンダー問題などには消極的でといった束が右派や保守で、その反対が左派やリベラルであるというような感じになっている。けれど、例えば、原発に関して、右派であるから賛成なのだという思想的な根拠がかならずしもあるわけではない。もっと言えば、右翼とは「反左翼」で、左翼は「反右翼」でしかなくなっているとさえ思います。

呉座　左右の対立について、〈左派が日本の歴史認識や社会規範を支配しており、右派は庶民に寄り添ってその権威に対抗しているのだ〉という言説が、右派によってしきりに喧伝されています。つまり、左派は押しつけがましい権威主義的なインテリであって、右派は大衆を代表して左派の知的権威に挑戦しているのだ、という構図です。右派が一定の共感と支持を獲得しているのは、この戦略に拠るところが大きい。

けれど、左派が権威で右派が挑戦者という構図はかならずしも実態に即しておらず、レッテル貼りのようなところがあります。戦後のほとんどの時期において保守勢力が政権を担ってきましたし、現在も保守派の代表と言える人が長期にわたり首相を務めています。霞が関の官僚や一流企業の社員など社会の上層にも右寄りの考え方の人は多い。にもかかわらず、左が体制側で右が改革者という図式は信じられてしまっています。第五章で辻田さんが指摘された右派が提示する「物語」とも関連すると思いますが、この辺りも、右派は非常に巧妙だと思います。

辻田　いまの日本では、いかに刺激的な記号を配置して、人々の注目を集め、動員や利益につなげるかというゲームがあちこちで展開されています。歴史修正主義の運動も、そういう時代の流れのなかで捉えたほうが分かりやすいかもしれません。

前川　私も歴史修正主義の問題を右派だの左派だのといった次元で捉えることには違和感があります。歴史修正主義者はいろいろと言っていますが、その動機はさまざまであるにせよ、要するにかれらが口にするのは、戦争や植民地主義などが刻印した過去の「不正」について、「モノ言う弱者」とかれらが思い込んでいる人たちからとやかく責め立てられることへの反発や苛立ちです。「本当の対立軸」ということであれば、その一つは「過去の克服」に向き合うか否かということであって、もとより右とか左とかという話ではありません。

学知に閉じ籠っていた歴史学

前川　さて、ここからは視点を変えて、「事実と物語」に関する議論に移らせて下さい。これもシンポジウムで質問の多かった話題でした。実証主義に基づく歴史学の視点で見れば笑止としか言いようのない歴史修正主義が、これほど社会に浸透してしまったのはなぜか。これを、「歴史学の敗北」という観点から言うとどうなるか。もっとも、このフレーズ、歴史研究者から見ればちょっとショッキングなわけですが……。

それでも、「歴史学の敗北」と言うとき、そこには、歴史修正主義者の問題提起に対して、歴史学の側が自陣に閉じ籠ってきたという問題があるんだと思います。呉座さんが指摘された通りです。この辺りの問題について、みなさんのご意見をうかがいたいと思います。

辻田　歴史修正主義の蔓延を無視していると、最終的に、アカデミズムにも悪い影響を与えてしまいます。例えば、「歴史学会は反日勢力に支配されている」という暴論が売れて、与党の政治家などに支持されてしまうと、人文系学部の予算削減などにつながりかねないわけですよね。実際、そうなっている部分もあるのではないでしょうか。歴史学者が自分たちは社会とは関係ないと思っていても、そう簡単にはいきません。研究をほっぽり出して社会運動をしてくれと言いたいわけではありませんが、そういう認識は必要だと思いますね。

倉橋　第三章で前川さんが、歴史修正主義の〝物語〟が社会に広く受け入れられているという現実は、裏を返すと、国民の歴史や物語の意味を問い直しているのだというようなことを指摘されていますが、それは重要な視点だと思います。歴史学は当然のこととして、歴史で何が、なぜ起こったかを実証的に解明しようとしますが、一方で、その歴史をどのように認識するかという評価も大切なはずです。そこの部分を、学問としては非常に杜撰な歴史修正主義にうまく掠《かす》め取られてしまっているという感覚があります。

そこで思い出したのは日韓歴史共同研究です。二〇〇二年に日韓で共通の歴史教科書を作ることを目指した日韓歴史共同研究が開始されましたが、結局挫折しました。政治学者の木村幹さんによると、その原因は議論すべき事柄について共通認識が得られなかったからだそうです。つまり、議論すべきは、歴史の実証なのか、歴史認識かという違いです。歴史認識問題は、戦後私たちが「過去」をどのように議論したり、理解したりしてきたか、に関わる問題であって、歴史学は日韓双方でこの向き合い方が異なったわけです。他方、歴史修正主義は「過去」をどのように議論するかという点に「国民の物語」をすっぽり入れられた。それは実証主義でなくてもよいわけですね、向き合い方なので。ここにも同じ構造がありました。

歴史を概観する図式を描けなくなった歴史学

呉座　よく指摘されていることですけど、ソ連の崩壊によって、マルクス主義の権威が失墜したことで、歴史学は「世界史の基本法則」というグランドセオリーを失ってしまいました。そのため、歴史学は実証主義にアイデンティティを求めるようになったという問題があります。日韓歴史共同研究が噛み合わなかったことには、そうした背景があるのだと思います。韓国側に植民地主義を清算するという歴史認識問題が軸にあるのに対し、日本側には特に軸はないので実証的に研究するという意識が前面に出る。目的意識が違うので議論がすれ違ってしまう。

一例を挙げますと、日韓併合は韓国側から見れば一片の正当性もない侵略ですが、日本側は道義的には問題があったけれども当時の国際法では合法でした、という論理を組み立てるわけです。韓国側には詭弁に聞こえるのでしょうが、実証主義に立脚した場合は間違っているとは言えない。植民地統治にしても、日本側はイデオロギー的評価を脇に置いて実態を見ていこうというスタンスなので、収奪一色ではなく近代化が進んだ面もある、と指摘したりする。植民地支配を肯定しているわけではありませんが、韓国側にはそう映ることもある。

そういう意味で、日本の歴史学は、物語というか、歴史を概観する大きな見取り図を描けなくなって、日本の歴史はこうだったと、積極的に市民や社会に示すものがなくなってしまったために、どんどん内向きになって、実証主義の職人として学会でアピールするしかなくなっているという問題があると思います。かと言って、実証主義を軽視してしまっては、歴史修正主義と差別化できなくなるので、なかなか悩ましい。

前川　辻田さんは、第五章で「新しい物語」が必要だと指摘されていますが、いかがですか。

辻田　市場では歴史に強い需要があって、本も売れますし、テレビ番組もよく見られます。とはいえ、そこで求められているのはかならずしも学知そのものではないわけです。そのため、ある種の「翻訳」をしなければいけないのですが、呉座さんがおっしゃったような事情もあり、それがうまく機能していませんでした。歴史修正主義者は、その虚を衝いたところもあったのではないでしょうか。学知だけではなく、それをベースにしたより「まともな」物語が必要だと述べた理由もここにあります。

フラットな社会

しょうか。

前川　市場や商業主義に関しては倉橋さんが社会の問題として議論されています。いきなり大きな質問からになりますが、結局のところ、社会は学知に何を求めているのでしょうか。つまり、社会における知とは何なのでしょうか。そもそも、社会は専門知を必要としているので

倉橋　非常に難しい問題ですけど、もちろん、専門知は社会にとって必要不可欠だと思います。けれど、専門知に対する評価は非常に低くなり、信頼されなくなっているという現状があるのも事実です。その辺りは、トム・ニコルズというアメリカの研究者が深く分析し、一般向けの著書を出版し、専門知が軽んじられる状況を「反知性主義」という言葉で説明しています。彼の分析はかなり悲観的ですが、世界的な災害や危機が生じたとき、その状況はひっくり返る可能性があるとも指摘していました。

その邦訳が日本で発売された半年後にコロナの問題が起こりました。政府が「専門家委員会」を作って助言を求める姿が繰り返し報道されています。それで信頼がどの程度回復するかは分かりませんが、「専門知」が見直されるきっかけとはなったのではないでしょうか。

歴史学の問題に関しては、呉座さんが「権威」という言葉を使われましたが、それに対する

反発が社会には広がっていて、それが専門知を揺るがしているのではないかと考えています。
反知性主義の背景には「平等観」があるのだと思います。すなわち、専門知という権威を引き下げ、俗説を引き上げるというトレンドがあり、知は専門家だけのものではなく、もっとフラットなものなのだという感覚でしょうか。そういう感覚が社会に広がっている。特にネットのやり取りを見ているとそんな感じがします。

辻田　現代美術家の村上隆さんが、かつて「スーパーフラット」という言葉を使いました。すべてが真っ平らだというポストモダンの価値観をよく言い表したものだと思いますが、学校だと、教える側も教えられる側もフラットで平等なのだという感覚なのでしょう。最初に右左の対立軸の話がありましたけども、もし今、本当に対立軸があるとすれば、それは、すべてがフラットだというポストモダン的な価値観の人たちと、社会にはある種の階層や秩序があると考える（近代的な？）価値観の人たちとの間にあるような気がします。これはどちらが一概にいいとは言いにくいのですが……。

倉橋　その点については、私も同感で、危惧していると言ってもいい。実際に現実にも発される言語にも権力勾配や権力格差は常に付きまとい、それがなくなったことなど歴史上一度もないのに、もはや解消したもののように扱われるという知的現象は数多く見られます。「男性差別」「在日特権」「日本人ヘイト」といったマジョリティこそ被害者であるといった言説は、平等あるいは立場のフラットをベースにしたところから語られる権力勾配無視の発想があると思います。歴史修正主義者がそうしたフラットな状況を作り出すために「ディベート」のような言論ゲームを持ち出したのもその延長線上にあると思います。

歴史学と歴史教育のあり方

前川　なるほど。「フラット」な社会という問題は、今後も注意して見ていかなければなりませんね。いずれにしても、そうした問題も含めた現状をふまえて、ここからは、もう少し未来の話をしてみたいと思います。歴史学の未来や、歴史教育とどう向き合うかといったことや、学知と社会はどういう関係を構築していけるのかといった問題です。シンポジウムの参加者からいただいた質問のなかにも、こうした点に関わるものが数多くありました。

倉橋　今、台湾人研究者のレオ・チンさんが書いた『Anti-Japan』という、東アジア諸国の「反日」についての著作を翻訳しているのですが、そのなかで、チンさんは日本の「SEALDs」と台湾の「ひまわり運動」、香港の「雨傘運動」に参加し活動する学生や若者たちの意識を比較し、台湾や香港の学生に比べ、日本の若者は戦後民主主義のあり方や、植民地問題に関する歴史について非常に無頓着であると指摘しています。

ぼくも大学で学生と接していて、学生たちに植民地主義についての認識がないことや、そもそも日本の近代史について十分に教育を受けていないことを感じています。例えば、「慰安婦」問題について、多くの学生は日韓のナショナリズム問題としか捉えていません。

そこで、前川さんにうかがいたいのですが、植民地主義に関して、旧宗主国や旧植民地の国々では、どのような歴史教育を行っているのでしょうか。

植民地主義を学校でどう教えるのか

前川　一般論として簡潔にお答えします。イギリスに関しては第三章で触れた通りで、歴史教科書は植民地主義の功罪を〝客観的〟〝中立的〟に書くというスタンスです。フランスも大差ないというのが私の印象です。一方、敗戦国のドイツは日本と似ていて、そもそも戦争や植民地主義の歴史について、特に前者について自由に語ることが許されなかったためなのか、非常にフラットな印象の教科書になっています。帝国主義の歴史についての記述は簡略で、日本で教えているような事実関係を淡々と記しています。スペインは、ちょっとユニークです。ご存じの通り、スペインは近代植民地主義のトップランナーだったわけですが、南米大陸の文化の変容に関する記述が中心で、一九世紀的な植民地主義はメインテーマではありません。

一方、アフリカ諸国やインドなどの旧植民地側ですが、興味深いのは記述に二面性があることです。植民地主義を「文明化の使命」だと言い張る旧宗主国の主張に対し、搾取の歴史だと明確に批判する一方で、独立の過程で、民主主義や人権などの欧米の「近代的」で「普遍的」な価値観を積極的に取り入れ、支配者側の論理を逆手にとって独立を果たしたのだと、そのような教育をしています。ヨーロッパ出自の文明概念の強靭な生命力をここに見出すことができます。だからこそ、「文明化の使命」といったテーマをたんなる言説の問題として切り捨ててしまうわけにはいかないのですが。

呉座 植民地主義の歴史を、教育の場でどのように教えるのかは非常に難しい課題だと思います。前川さんのご指摘通り、学知として植民地主義を忘却するような世界史を批判することは当然で、国際政治や歴史研究の分野で植民地主義の清算を主張することは非常に重要だと思います。ですが、大学ならともかく、中学校や高校で植民地主義を否定する歴史教育が具体的にどうすれば実現できるのか、理想としては素晴らしくても、現実的に可能なのかという素朴な疑問があります。

日本の歴史教育では、日本は満州事変を契機に国際社会から孤立し、間違った道を進み始めたと教えていますが、反対に言うと、それ以前の日本の近代化の歩みは概ね肯定的に語られています。けれど、植民地主義を批判する、植民地主義を清算するという立場から見れば、例えば、ワシントン体制に代表される一九二〇年代の国際協調も、帝国主義国家同士の談合に過ぎないという話になってしまいます。それは歴史の一面の真理ではありますが、中学、高校でどのように教えるのか。満洲事変以降の侵略路線は論外ですが、それ以前の欧米との協調路線も間違っていたと教えるなら、では日本はどうすべきだったのかという子どもたちの疑問にどう答えるのかという問題があります。

「植民地になればよかった」

呉座　網野さんは「明治の選択は『最悪』」と評し、明治維新以降の日本の近代化を全否定しています。近代化、富国強兵の結果、アジアを侵略してしまったのだから、間違っていたと考えるわけです。当然ながら、近代化しなければ欧米列強の植民地にされていたはずだという反論が寄せられましたが、網野さんは、「同じ運命をたどっているアジアの人々を抑圧して、自分だけ成り上がる」ぐらいなら植民地になったほうがよかった、と発言しています。いったんは植民地になったとしても、アジアの諸民族と連帯して植民地独立戦争を戦う、「負けて勝つほうの道」こそが日本の進むべき道だったと力説されています。いわば、本当の意味での「大東亜共栄圏」を作るという選択肢があったのではないか、という議論ですね。

極論のようにも思いますが、植民地主義を清算する歴史を教えようとしたら、究極的には網野さんぐらいの覚悟が必要になるのではないでしょうか。その辺りをどうお考えですか。

前川　私は網野さんほど根源的にものを考えているわけではないと思うので、「植民地にならればよかった」とまでにわかに言い切ることができるかどうか……。ですが、明治以降の近代化の方向性は間違っていたということは、おそらくその通りだろうと思います。近代化それ自体というよりは、その方向性です。

つまり、明治以降、日本は近代化なり国際化なりの道をひたすらに歩み続けたわけですが、その果実はどう回収されたのかという問題だと思っています。それは明らかに軍国化に費やされたのではなかったでしょうか。しかも、それは帝国主義世界体制に参画するためだった。世界史の観点から言えば、それは否定し得ないのではないですか。そしてその延長に戦争があったわけです。そうした日本の姿への批判として捉えるなら、なるほど「植民地になればよかった」という表現になるのかもしれません。要するに、戦争を反省するなら、それに先立つ植民地主義の世界史と関連付けて、総体的な観点から日本の近代化に向き合わなければならないということです。そこで、欧米の近代化だって軍国化とセットじゃないかと言って済ましてはいけない。そこは批判しないといけない、というのが私の基本的な考えです。

一方、呉座さんご指摘の通り、それを教育の場でどのように教えるのかは、非常に難しい問題だと思います。ただし、くどいようですが、明治維新であれ、第一次世界大戦後の国際協調の時代であれ、その当時の国際社会の姿というのは、きっちりと理解しておかなければならない。そこには、植民地主義を前提とした世界があったこと、それを当時の国際社会は当然のことと受け止め、欧米諸国や日本がアジアやアフリカの（公式であれ非公式であれ）植民地を当たり前のように搾取していたことは、きちんと捉え直さなくてはならないと思います。

ですから、教育の現場でも、「植民地になればよかった」と言うかどうかは別にしても、「植民地主義は間違っていた」、「そこに善などあろうはずがない」といったことは、はっきりと言わなければなりません。そういうことを率直に言えばいい。こうすると、「現代の価値観で過去を論じるな」と、例の〝歴史の不遡及〟論が必ず出てくるのですが、私から言わせれば、そんなことばかりしていたら、歴史は好事家の嗜みに成り下がりますよ。もちろん、トリビアそれ自体は悪くはないのですが、その一方で、現代と過去のあいだには、評し評される、一種の緊張関係があるのだし、それを棚上げにしてはいけないと考えています。

もちろん、具体論となるとハードルはかなり高いことは理解しています。そもそも、文科省がそんなやり方を手放しで認めるはずはないでしょう。が、学知が歴史の事実を実証し、それを教育に反映する工夫はやはり必要なのだと思います。そこは揺らぎません。答えになっているか分かりませんが……。

国民史の物語

呉座　いや、参考になりました。やはり、学知と教育、歴史学と歴史教育の違いという問題に突き当たらざるを得ないのだと思いました。前川さんは、歴史教育についてどのようなお考えですか。つまり、歴史教育とは何か、という質問です。

前川　大きな質問ですね。でも、あえてひとことで言うならば、歴史学と歴史教育の大きな違いは、歴史学がファクトの追求であるのに対し、歴史教育は「国民の物語」ということなのだろうと思います。歴史を学校教育の場で語るときには、どうしても国の問題と分けて考えることはできません。日本はどのような国であったのかということを教えるのが国民史です。もちろん、その歴史の事実の部分を教育の場に提供する役割を背負っているのは歴史学です。だからこそ、ここに呉座さんが質問された問題の所在があるわけですよね。植民地主義のファクトをどう「国民の物語」に接続するかという。実際、そのように葛藤している現場の先生たちはたくさんおられると思うんです。ですが、現実的にはなかなか難しい。そうこうしているあいだに、歴史修正主義に付け入られてしまったわけで、いつの間にか歴史修正主義版国民史が社会に伝播してしまった……。

呉座　そこが問題の核心で、歴史学と歴史教育は密接に関わるけれども、立脚点が違うわけですよね。歴史学なら過去の誤りを遠慮なく指摘できますが、歴史教育の場合は悪いところも良いところもあったという両論併記になりがちです。全否定で「国民の物語」を紡ぐことは非常に困難だからです。これは日本だけの問題ではなく、前川さんがご紹介されたイギリスなど、旧宗主国に共通する問題だと思います。

学校だけが歴史教育の場ではない

辻田　日本の近代史を学校でどのように教えるかは重要な問題ですが、一方で、身も蓋もない話になりますけども、中学高校では時間が足りなくて、多くの場合、歴史の授業は近現代にまで辿り着いていないという現実があります。ですから、歴史教育を考えるときには、学校、アカデミズム、マーケットなどをばらばらに考えるのではなく、社会全体のなかで考えなければいけないなと思います。学校だけが、歴史教育の場ではありません。

一例として、NHKの朝ドラを考えてみましょう。近年の平均視聴率は二〇％前後だそうですから、単純に換算すると二〇〇〇万人が見ていることになります。二〇〇〇万人は眉唾だとしても、非常に大きな影響力があることは間違いありません。その朝ドラには、よく戦時下の話が出てくるのですが、これが決まって空襲の場面なんですね。主人公が逃げ惑って、苦しい思いをしたりする。そして戦争が終わり、「ああ、よかった」と。それはいいのですが、こういうものを何度も観るうちに、われわれは知らず知らずに「歴史教育」を受けて、戦争への理解を形成してしまっているのではないかと思うのです。本当は日本が始めた戦争なのに、まるで天災のように捉えてしまう、というように。

歴史教育を考えるときには、どうしても、大学や学校のイメージが先行しがちです。最近、歴史系の入門書がやたら「講義」と名乗っているのも、その延長線な気がします。とはいえ、現実には、映画やテレビがもっと大きな影響力を持っていたりする。これはもちろん、大衆メディアのほうが偉いということではありません。ドラマ制作にはタネ本があって、それはもとをたどれば、アカデミズムの研究成果だったりするわけです。それが、作家によって物語にされ、最終的にテレビドラマとなる。ですから、アカデミズムも重要ですし、作家も重要です。

反対に、大学予算が削減されたり、作家が右翼だらけになれば、てきめんに悪い影響が出てくる。歴史教育も、そういう全体像のなかで捉えることが重要だと思います。

呉座　おっしゃる通りだと思います。「つくる会」の歴史教科書を採択する学校はほとんどありませんから、学校教育の観点では実は取るに足らない問題です。しかし学校教育とは別のところで、歴史修正主義の影響力が高まってしまった。ですから、歴史修正主義の潮流に学校教育の改革で対処するという案はピント外れではないかという懸念を持っています。学校教育で「国民史」を相対化するという理想は素晴らしいですが、その反動として、学校外で愛国心を煽る「国民の物語」が広がる可能性も想定すべきではないでしょうか。

「良質な物語」をいかに作るか

前川　そうなると、また商業主義や大衆文化の話に戻っていくということになりそうですね。つまり、商業主義、大衆社会に浸透する歴史という素材の問題ですね。

私が最近なんだか危ういなという感覚を持ったのは、『この世界の片隅に』の大ヒットなんです。コミックス、映画、ドラマ、アニメと、まさに歴史総合エンタメなわけですが、作品としてはいいし、ふだんリベラルと目されている人たちも賞賛していました。ですので、こんなことを言うのは気が引けるのですが、それでも歴史の物語としてはやはり危ういのです。

と言うのも、あの話は徹底的に被害者の視点で描かれていて、加害のストーリーはまるごとごっそり削除されているからです。しかも、国の関与をうかがわせるところもある。一昨年には、東京千代田区にある「昭和館」で、これは国立博物館なわけですが、特別企画展が大々的に開かれましたし、TBSでドラマが作られたとき、後援の一つは厚労省でした。要するに、国の後押しを受けて、辻田さんが示唆されているような「つらい状況を乗り超えた私たち」と同じで、戦争になっても「一生懸命頑張っていればいいことがあるよね」っていう話をしているようなものなのです。それで、戦時下の庶民のけなげな姿勢が淡々と描かれています。いや、私も映画からアニメから何から全部見ましたが、それはもう感動しますよ。朗らかな顔つきで、じっと耐え忍んでいる姿は涙を誘うんです。感動することで被害者視線の歴史観が刷り込まれていくというパターンで、それは歴史修正主義者の大好きな手法です。

ちなみに、ご存じの方も多いと思いますが、一九六五年に岩波から『この世界の片隅で』という新書が出されています。「に」と「で」の違いだけで、内容も同じ広島の原爆をテーマにしているのですが、作品のメッセージはまったく違います。岩波版のほうは被爆者の体験集です。しかも、在日朝鮮人が被爆者として二重の差別を受けた実態などが収録されている。これは、被害者視線を借りた、戦争と植民地支配の加害に対する告発文として読むこともできます。

さらに、これまた有名な話ですけれども、高畑勲監督は亡くなる前に、『火垂るの墓』には加害者性がないから、完全な反戦映画ではないといった話をしておられました。高畑監督は、『火垂るの墓』のあと、日本の中国侵略をテーマにした作品を作ろうとしていたのだけれども、ちょうど中国政府が民主化運動を弾圧するニュースが流れて、会社が企画をボツにしてしまったそうです。そして結局のところ、それ以前もそれ以降も、日本で作られる戦争映画やアニメは、やはり圧倒的に被害者視線の物語ばかりになっている気がします。繰り返しますが、これでは歴史修正主義者に簡単に持っていかれてしまいます。

すみません、ちょっと話が脱線気味ですが、要するにそう考えると、第五章で辻田さんが指摘された「良質な物語」を作っていくということは、本当に大事だと思うわけです。ただし、これはこれで課題が山積です。まず、そもそも「良質な物語」とはどんなものか。そして、これが最大の課題なのですが、それはどうやって作るのか。

倉橋　非常に難しい問題です。朝ドラや『この世界の片隅に』の話が出ましたが、その反対の勇ましいパターンが百田さんの『永遠のゼロ』ですね。これに対抗して、どのように「良質な物語」を提供していけるのかについて、ぼくには今のところ回答はありません。辻田さんがおっしゃるように、学知はファクトを提供することはできますが、言い換えると、できることはそこまでだ、ということになるからです。

これに対して、私自身の考えは、ある種メディア論的な見方になりますが、そうなると、重要なのは作り手の意識で、そこが変わらないと、辻田さんが第五章に書かれている「健全な中間」という場所にも至らないのではないかと思っています。というのも、歴史修正主義は消費者評価が重要だったと考えているので、同じ土俵で勝負しても仕方がないと思うからです。

なので、別の仕方で消費者評価の視点を上げたり、育てたりする必要があると思います。歴史修正主義者は、差別的で排外的です。人権意識が非常に低い。まずは、ここを理解したほうが良いと思います。新型コロナウイルスの自粛生活でNetflixなどをよく見ているのですが、海外作品はいわゆる「ポリティカル・コレクトネス」がしっかり掛かっていてもエンターテインメントとしてしっかりウケています。つまり、人権意識が非常に高いのに良質なエンターテインメントです。ディズニーもそうだし、アカデミー賞受賞作も脚本が素晴らしい。『パラサイト』だってコメディなのに人権意識が高い。こういった歴史修正主義者に欠落している部分を見極めて、あるいは歴史修正主義を生んだ土壌が何なのかを考えないとうまく「良質な物語」は提供できないのではないかと思います。

辻田　私の場合、実践で示していくしかないのかなと思います。ですので、自分の話になってしまうのですが、以前、アガリスクエンターテイメントという劇団が、「発表せよ！　大本営！」を上演しました。コメディータッチながら、メディアが権力によって統制される恐ろしさをたくみに描いた演劇でしたが、制作にあたっては拙著の『大本営発表』を参照されたそうです。こういう試みがテレビや映画にも広がっていく。それがひとつの理想です。

あるいは、先ほど、朝ドラの話をしましたが、今（二〇二〇年五月）放送されている『エール』の主人公のモデルは、「六甲おろし」や「長崎の鐘」などで知られる作曲家の古関裕而です。彼は、戦時中に多くの軍歌を手掛けていますから、単なる被害者史観では描けないはずです。今後、どういう展開になるのか分かりませんが、音楽史研究もやっている私としては、その関係の資料を発掘して発表することで、側面支援することもできるかもしれません。それは、加害者史観で放送せよということではありません。従前の単純な「被害／加害」の二項対立ではなく、古関が生活のために軍歌を作った姿は、出版不況で愛国ビジネスに加担していく現代の出版界の姿とも重なり、リアリティーもあるのではないかという第三の道を提案するということです。

もちろん、力不足は重々承知していますが、私だけではなく、いろいろな人がこういう試みをやればよいと思います。そうするなかで、倉橋さんがあげられたような、「人権意識が非常に高いのに良質なエンターテインメント」も徐々に出てくるのではないでしょうか。

呉座　辻田さんが第五章で取り上げた「物語」は、小説やドラマや映画といった狭義の物語だけではなく、作家や評論家が執筆した通史や史論も含みます。そうした「物語」にはさまざまな不備がありますが、歴史学はそれを許容するのか否かが問われていると思います。私は、歴史学の成果を踏まえたものであれば、ある程度は許容すべきで、そうしないと社会に刺さらないと考えています。やはり作家と学者では発信力が違いますから。

もちろん、この戦略には危うさも伴います。歴史学者の学術的な問題意識と、作家や評論家、さらには一般の歴史ファンの興味関心は往々にしてズレるからです。政治家やビジネスマン向けに話す機会が増えて分かったのですが、彼らの多くは歴史を学ぶことで人生の指針を得ようとしています。この傾向は山岡荘八の歴史小説『徳川家康』が経営者のバイブルになってから顕著になったと思いますが、その淵源は江戸時代まで遡ります。勇将・智将の逸話集や言行録が多数編まれて、人生訓が語られました。この種の逸話・名言は実のところ真偽不明なものが多いのですが、極端に言えば嘘でもよいのです。

実際、明治時代になって実証史学がドイツから導入されて、美談・名言の史実性を疑問視する研究が登場すると、「そんなことを指摘して何になるのだ」という反発が出ました。たとえ作り話だったとしても、道徳教育に役立つとか、国民に勇気と誇りを与えることができるとか、そういう〝実用的な〟効果があるなら目くじらを立てる必要ないじゃないか、というわけです。平泉澄らの「皇国史観」や、記紀神話にこだわる「つくる会」、『日本国紀』などは明白にこの立場ですが、歴史修正主義とは直接関わりのない作家や評論家であっても、史実性よりも実用性を優先する人は散見されます。

だから、歴史学者が当事者となって歴史観を示すことがより望ましい。ただし、学界関係者しか読まない学術誌で発言しても、それは仲間内で盛り上がっているだけです。歴史の諸学会がしばしば発表する「建国記念の日に反対する」といった政治的声明も「私たちは戦っている」というアリバイ作りに堕してはいないでしょうか。少なくとも論壇誌くらいには進出して発言しないと、一般の人には届かないと思いますが、それをやる歴史学者はほとんどいません。その状況に私は根本的な疑問を抱いています。

学知と社会——外に出ることの意味

辻田　今、呉座さんから、学者も少なくとも論壇誌ぐらいには出ていくべきだという話がありました。その点、みなさんは、論壇というか社会とどのようにかかわるべきだとお考えでしょうか。歴史学の分野では、学会に籠る人がいる一方で、逆に、積極的に非アカデミシャンを批判する人もいます。そういう状況をどのように評価されているのでしょう。

あるいは、倉橋さんの社会学の分野は論壇に近く、なかにはほとんど評論家になっている人も見受けられますが、倉橋さんは、学知と社会の中間のようなところで仕事をするとき、ご自身をどう位置付けられているのでしょうか。

倉橋　社会学にはほぼ社会とくっついているような一面があるので、ぼくの場合も基本的にはアカデミアの外に現われる「知」には関心があります。そもそも自分の研究関心が、歴史修正主義というものだけではなく、メディアによってどのように「知」や「規範」が構築されるか、なので。ですから、むしろ自分の発言がどのように流通するのかなどを経験的実験的に観察できるところがありますかね。

前川　私は、まだ院生やポスドクだった駆け出しのころ、歴史学研究会（歴研）に育てられたようなもので、歴研の先生や仲間には、ずっと感謝と尊敬の念を持ち続けています。〝社会に関わる歴史学〟というのも、「歴研大学」で教わりました。ですが、そのなんて言うか、歴研で活動していたころ、例えば「科学運動」というような内輪にしか通じないような用語や議論に出くわすたびに、戸惑うことがありました。歴研にとって「科学運動」は、戦時中の体制迎合的な歴史学を総括する重要な概念であり活動・運動方針です。これを内輪でやる分にはいいですが、いざ〝社会に関わる〟というときに、もしかしたら自分たちしか共感していない考えの〝正しさ〟を「わからんお前が悪い」と言わんばかりに〝蒙を啓く〟やり方に、「上から目線」で畳みかける姿勢にですね、ちょっとついていけないというか、どこかモノローグな感じを否めず、違和感を抱いたものです。それではダイアローグにならんだろうと。若気の至りかもしれませんが、ずいぶん前に、そういうことを会員向けの会誌に書いたこともあるんですよ。何の反響も得られませんでしたが……。

何度も言っていますが、立場が違ったり、実証史学から見てデタラメであったりしても、歴史修正主義者らが提起してきた問題それ自体は意味があって、それには真面目に向き合うべきだったと思うのです。ですからこのような本を作っているわけですが、歴史学界全体を考えると、ここらへんをどう受け止めてきたのか。ファクトチェックに口角泡を飛ばすことはあっても、もちろんそれ自体は大事なんですけれども、それで歴史修正主義が問いかけた大きな（国民の）「物語」に耳を傾け、現実社会に真正面から向き合ってきたと言えるのか。

控えめに言っても、歴史学にとって事実と物語というのは、昔からある大きなテーマだったはずなんです。けれども、歴研に連なる一部の人たちは別にして、歴史学界全体に漂い続ける、歴史修正主義に対するこの超然とした態度はいったいどこから来るのでしょうか。

いずれにしても、その意味で、学知の外に出てなんぼのものだというのは、その通りだと思っています。私自身がそんな力もなく、これはもう反省も込めての発言なのですが。

呉座　私は、辻田さんと同意見で、学界は民間の研究者や論壇の人などと連携していく必要があると考えています。そうしないと、アカデミズムの閉鎖性や権威主義などへの批判に対して、反論のしようもありません。

第五章で辻田さんが紹介された出口治明さんのお仕事は、確かに専門家や歴史オタクのような人から見れば、多少おかしなところもありますが、歴史学の最新成果に学ぶという姿勢を示しています。歴史学者がやるべきことをやらないから、出口さんが代わりにやってくれているわけで、それを学知の側が重箱の隅をつついて潰しても、最初から聞く耳を持たないトンデモ論者が余計跋扈するだけです。ミスがあるなら教えてあげて、一緒に「良質な物語」を作っていけばいいのです。

学知と一般社会の乖離

倉橋　先に述べたようにぼく自身は、大衆文化や言論のなかで生産されていく「知」には関心があります。

そのなかでぼくが重視していることの一つは、学知の社会と一般社会の乖離をチェックすることです。例えば、学知の世界で厳密に定義されている用語が、一般社会では違った意味で使われていることはよくありますが、学知の側の人間はそれに無頓着で、伝わらないばかりか、誤解されてしまう言葉を使って話したり書いたりしています。座談会で最初に議論したイデオロギーに関しても、左や右といった言葉に込められた意味は、学知と一般社会ではもはやかなり乖離しています。ですから、それらをチェックするためには、アカデミズムと一般社会の間の中間的な場所に立つことが非常に大切だと認識しています。

メディアに現れてくる知のあり方みたいなことに興味を持つと、そこに学知と一般の持っている考えのズレみたいなものが見えてきます。それは、是非の問題ではなく、「ズレ」があることは、社会が動いたことの証明だと思っています。

辻田さんの問いかけに戻ると、だから、学知と社会の中間のところで積極的に関わっていくことは非常に大切だと考えています。

前川　さて、話は尽きませんが、そろそろ時間もなくなってきました。

ここまで、各章の内容をフォローアップするだけでなく、本音も交えながら、多少なりとも踏み込んで論じることができたと思います。進行役の関心に引き付けて、シンポジウムでの質問票から、歴史学や歴史教育の問題を中心に話してきましたが、先ほどの倉橋さんのご発言を始め、みなさんがご指摘のように、歴史修正主義の「主戦場」となった社会のほうの問題はきわめて重要で、もっといろいろと考えなくてはいけないことがたくさんあるような気がしています。また、本日は突っ込んで論じはしませんでしたが、心理的な側面も重要な論点です。ご存知の通り、ホロコースト否認裁判の実話に基づく映画『否定と肯定』（二〇一六年）の原題は〝Denial〟ですが、これは、受け入れ難い現実に直面したとき、事実とわかっていながら認められない心理を意味します。

いずれにしても、このように専門も立場も違う者たちが一堂に会して、「座談会文化」というのでしょうか、ともかく向き合って話し合ってみるというのは、これは大事だなとあらためて思いました。現下の状況で、オンラインだのリモートだの、人と人とのコミュニケーションの新しいあり方が問われていますし、今日の座談会自体も、じつはリモート座談会という、私自身も初めての経験であったわけですが、でも、やろうと思えばできてしまうものですね。この新しい社会状況、もしかしたら、「歴史コミュニケーション」の未来を考える絶好のチャンスなのかもしれません。本書もまた、読者のみなさんと共に何かを生み出すきっかけにでもなればと願うばかりです。

また、やりましょう。今日は長時間、本当にありがとうございました。

※座談会は、二〇二〇年五月二五日にリモートで行いました。その直後に、ご存知のように、〝Black Lives Matter〟運動に連なる反差別主義運動が欧米諸国を中心に展開し、さまざまな角度から、歴史問題に新たなフェーズをもたらしつつあります。それだけに、本来ならばこの座談会でも取り上げるべきテーマでしたが、残念ながら収録することはできませんでした。この問題の行方については今後も注視していきたいと思います。

編著者

おわりに

二〇二〇年六月、戦後七五年を迎える夏を前にして、私たちは、新型コロナウイルスCOVID-19という、ある意味で戦争に匹敵する未曾有の「歴史的緊急事態」を経験しています。私たちは生活の不安に脅かされています。

そうしたなか、検査体制や「アベノマスク」や給付金など政府や自治体の施策に対して、じつにさまざまな批判が寄せられているようです。近代国家である以上、本来ならば文書記録に基づいてそうした批判の是非を問わねばならないところですが、報道によれば、この間の重要政策に大きな役割を果たしたはずの政府・専門家会議は、「自由に議論してもらうため」（担当相の言葉）という理由で、議事録を意図的に作成しなかったと言われています。真相は未だ「藪の中」だとはいえ、検察庁法改正案問題、「桜を見る会」問題、さらには防衛省・自衛隊日報問題、いわゆる「モリカケ」問題に遡っても同じことで、安倍内閣と自公連立政権（そして、そこに群がり〝忖度〟する人びと）の基本姿勢が、ここにあらわれています。公文書の存在を著しく軽視し、改ざんし、あるいは〝なかった〟ことにして詭弁を弄するその姿は、歴史修正主義者のそれと重なって見えます。本書は政権批判の書ではありませんが、当然のことながら、私たちを取り囲むそうした政治や社会状況を見据えて作られています。

しかし、日本の外側では、じつは変化の兆しが見え始めています。世界ではいま、この異常な状況のもとで、まるで堰を切ったように、民衆の側から現状を打破する動きが始まっているのです。直近では、ご存じの通り、先月末（二〇二〇年五月）に米ミネソタ州で起きた黒人男性暴行死事件をきっかけに始まった抗議デモがイギリスにも波及し、六月七日にはブリストルで奴隷商人の銅像が港に投げ込まれる事件が起こりました。銅像などの記念碑や、〝偉人〟の名を冠したストリートや広場に刻まれた、奴隷貿易や植民地支配、世界大戦にまつわる歴史と記憶の遺産に対して、人びとが〝ＮＯ〟を突き付けているのです。ロンドンでも、地元管理団体によって奴隷商人の銅像が自主的に撤去されました。他方、六月一〇日には米ボストンのコロンブス像の首が何者かによってもぎ取られる事件も起きています。

これらは現在進行中の「過去の克服」の新しいカタチなのでしょうか？　その意味を評するには時期尚早かもしれません。抗議デモのさなか、議事堂前にあるチャーチル像に「人種差別主義者だった」とペイントされた落書きをめぐって、地元テレビのワイドショーでは、まるで「正義の記憶」を再確認するかのように、レイシストというよりアンチファシストであったチャーチルの「功績」を評価するコメントが放映されています。

デモや〝暴動〟それ自体の経緯や、個別具体的な社会的背景の検証も必要でしょう。

しかし、記念碑や街頭名に刻まれた奴隷貿易や植民地支配の過去の記憶を考え直す動きは、何も突然に始まったことではありません。いずれもここ数年来の経緯がありました。今日、ばらばらであったそうした歴史の記憶が一つの大きなうねりとなって、これまで見られなかったような光景が目の前に広がっているのです。時代は大きく変わりつつあります。歴史問題は、たしかに動いているのです。

だから、未来を諦める理由はまったくないと私は思っています。厳しい現実だとはいえ、歴史認識問題の未来をポジティブに構想できる材料は少なくありません。「はじめに」で述べたように、できるところから、現実的な処方箋は何かと考えていきたいというのが、そもそも本書のコンセプトでもありました。ここまで読み進めていただいた読者のみなさんの心のどこかで、何かが〝コトン〟と動き始めたとしたら、これに勝る喜びはありません。

本書は、その企画の段階から刊行に至るまで、本当に多くの方々にお世話になりました。この場を借りて御礼申し上げます。まず、本書の出発点は、二年間かけて行われた歴史学と社会学の学際的研究プロジェクトにありました。平野千果子、藤川隆男、山下範久、水谷智、そして倉橋耕平の各氏には、私からの声掛けに快く応じていただき、五時間も六時間もぶっ通しで行った密度の濃い研究会に一度ならずともお付き合いいただきました。みなさん大学に籍を置くアカデミアの住人ですが、外での活動経験も豊富で、本書のアイデアはこうした交流を通して徐々に出来上がってきたものです。山下氏にはシンポジウムの司会だけでなく、東洋経済新報社への紹介の労もとっていただき、重ねて深く御礼申し上げます。

昨年秋のシンポジウムには、「立命館大学二〇一九年度研究推進プログラム」からのファンドを得ることができました。関係者各位には御礼申し上げます。何よりも、当日に足を運んで下さった参加者の皆様方に、最大の感謝を捧げます。長時間にわたり会場で私たちの議論を見守り、参加して下さったみなさんがおられなければ、本書の企画は成り立ちませんでした。まさに、本書が企図する「歴史コミュニケーション」のプロトタイプを見た気がしました。そして、そのシンポジウムの記録を書籍のかたちでさらに広く伝える試みに尽力して下さった東洋経済新報社の岡田光司氏をはじめすべての方々に、心より深く感謝申し上げます。

最後になりましたが、一つだけお断りとお願いがあります。お気づきの通り、本書には注がありません。それは「はじめに」で述べた理由によるものです。とくに読みやすさを大切にし、「大きな見取り図」や「思考の枠組み」を提供することに重きを置きました。ただし、繰り返して言えば、私たちは専門知そのものを放棄しているわけでは決してありません。歴史研究者の立場から言えば、実証史学を投げ出したら元も子もなくなります。したがいまして、これは著者全員からのお願いなのですが、さらに詳しく検討してみたい読者におかれては、さしあたって巻末に記した参考文献（入手し易い日本語文献数点に絞っています）を紐解いていただくとか、また本書の著者がそれぞれ出している書籍や学術論文を手に取って、ぜひとも検証を進めていただければと思います。

ここでお示しした「大きな見取り図」が何かしらの手掛かりとなって、読者のみなさん一人一人がご自身の関心に沿って考えを膨らませ、深めていけるきっかけになるならば、それだけで本書の意味があると信じています。

前川一郎

二〇二〇年六月一三日

日本語参考文献（本文中に引用されたものを除く）

第一章

・伊藤昌亮『ネット右派の歴史社会学』青弓社、二〇一九年
・遠藤晶久／ウィリー・ジョウ『イデオロギーと日本政治』新泉社、二〇一九年
・倉橋耕平『歴史修正主義とサブカルチャー』青弓社、二〇一八年
・将基面貴巳『愛国の構造』岩波書店、二〇一九年
・田辺俊介編『日本人は右傾化したのか』勁草書房、二〇一九年
・トム・ニコルズ著、高里ひろ訳『専門知はもういらないのか』みすず書房、二〇一九年
・樋口直人『日本型排外主義』名古屋大学出版会、二〇一四年
・樋口直人／永吉希久子／松谷満／倉橋耕平／ファビアン・シェーファー／山口智美『ネット右翼とは何か』青弓社、二〇一九年
・堀江宗正『ポップ・スピリチュアリティ』岩波書店、二〇一九年

第二章

・金富子・中野敏男編著『歴史と責任――「慰安婦」問題と1990年代』青弓社、二〇〇八年
・ジョン・トーピー著、藤川隆男・酒井一臣・津田博司訳『歴史的賠償と「記憶」の解剖――ホロコースト・日系人強制収容・奴隷制・アパルトヘイト』法政大学出版局、二〇一三年

・中野聡「歴史修正主義とその背景」歴史学研究会編『第4次　現代歴史学の成果と課題3』績文堂出版、二〇一七年、所収
・永原陽子編『「植民地責任」論――脱植民地化の比較史』青木書店、二〇〇九年
・川越修・矢野久編『ナチズムのなかの20世紀』柏書房、二〇〇二年
・平野千果子『フランス植民地主義と歴史認識』岩波書店、二〇一四年
・前川一郎「イギリス植民地主義のあとさき――2001年ダーバン会議の教訓」『季刊戦争責任研究』六三、二〇〇九年三月、一一―一九頁
・山口智美／能川元一／テッサ・モーリス‐スズキ／小山エミ『海を渡る「慰安婦」問題――右派の「歴史戦」を問う』岩波書店、二〇一六年
・吉田信「オランダにおける植民地責任の動向――ラワグデの残虐行為をめぐって」『福岡女子大学国際文理学部紀要　国際社会研究』第二号、二〇一三年、五三―七三頁

第三章

＊イギリスの歴史教科書のうち、全編が翻訳されているものは、次の三冊がある。
・リチャード・J・クーツ著、今井宏・川村貞枝訳『全訳　世界の歴史教科書シリーズ　四　イギリスⅣ』帝国書院、一九八一年（原著出版、一九六八年）
・L・E・スネルグローブ著、今井宏・木畑洋一『全訳　世界の歴史教科書シリーズ　五　イギリスⅤ』帝国書院、一九八一年（原著初版、一九六八年）
・ジェイミー・バイロン／マイケル・ライリー／クリストファー・カルピン著、前川一郎訳『イギリス

の歴史【帝国の衝撃】――イギリス中学校歴史教科書』明石書店、二〇一二年
ほか、本章の参考文献はすべて英語文献。

第四章

・井上章一編『学問をしばるもの』思文閣出版、二〇一七年
・磯前順一・磯前礼子編、原秀三郎述『石母田正と戦後マルクス主義史学　アジア的生産様式論争を中心に』三元社、二〇一九年
・エンツォ・トラヴェルソ著、宇京賴三訳『左翼のメランコリー　隠された伝統の力　一九世紀～二一世紀』法政大学出版局、二〇一八年
・歴史学研究会編『戦後歴史学再考　「国民史」を超えて』青木書店、二〇〇〇年
・『網野善彦著作集　第18巻　歴史としての戦後史学』岩波書店、二〇〇九年

第五章

・辻田真佐憲『ふしぎな君が代』幻冬舎新書、二〇一五年
・同「教育勅語肯定論の戦後史」『徹底検証　教育勅語と日本社会』岩波書店、二〇一七年、五三―七二頁
・同「79歳〝在野の昭和史研究者〟保阪正康　妻子持ちの32歳で大学院への道を捨てた日」『文春オンライン』二〇一九年六月三〇日、https://bunshun.jp/articles/-/12486
・同「ノンフィクション作家・保阪正康が語る「『昭和史』からの教訓と、平成の天皇との私的な懇

談」」『文春オンライン』二〇一九年六月三〇日、https://bunshun.jp/articles/-/12487
・同「「歴史家」保阪正康が明かす「フリー独立前、20代に電通ＰＲセンターで見聞きしたこと」」『文春オンライン』二〇一九年六月三〇日、https://bunshun.jp/articles/-/12488

執筆者紹介

前川一郎（まえかわ いちろう）　編著者、第2章、第3章
1969年生まれ。立命館大学グローバル教養学部教授。英帝国史・植民地主義史専攻。イギリスの植民地主義、帝国主義、歴史認識に関する著書・論文多数。主な著書・論文に、『イギリス帝国と南アフリカ』（ミネルヴァ書房、2006年）、「イギリス植民地主義のあとさき――2001年ダーバン会議の教訓」『季刊戦争責任研究』（第63号、2009年）、"Neo-Colonialism Reconsidered: A Case Study of East Africa in the 1960s and 1970s," *The Journal of Imperial and Commonwealth History*, 43(2), 2015ほか、共著に永原陽子編『「植民地責任」論――脱植民地化の比較史』（青木書店、2009年）ほか、訳書にジェイミー・バイロンほか著『イギリスの歴史【帝国の衝撃】――イギリス中学校歴史教科書』（明石書店、2012年）などがある。

倉橋耕平（くらはし こうへい）　第1章
1982年生まれ。立命館大学ほか非常勤講師。関西大学大学院社会学研究科博士後期課程修了。博士（社会学）。専攻は社会学・メディア文化論・ジェンダー論。著書に、『歴史修正主義とサブカルチャー――90年代保守言説のメディア文化』（青弓社、2018年）、共著に『歪む社会』（論創社、2019年）、『ネット右翼とは何か』（青弓社、2019年）、『ロスジェネのすべて』（あけび書房、2020年）、『ジェンダーとセクシュアリティ』（昭和堂、2014年）がある。

呉座勇一（ござ ゆういち）　第4章
1980年生まれ。国際日本文化研究センター助教。日本中世史専攻。早くから陰謀論や偽史の蔓延を問題視し、歴史学界の不作為に警鐘を鳴らし続けてきた世代を代表する歴史学者である。主な著書に、48万部のベストセラーとなった『応仁の乱』（中公新書、2016年）があるほか、『一揆の原理』（ちくま学芸文庫、2015年）、『戦争の日本中世史』（新潮選書、2014年、角川財団学芸賞受賞）、『陰謀の日本中世史』（角川新書、2018年）、『日本中世への招待』（朝日新書、2020年）がある。

辻田真佐憲（つじた まさのり）　第5章
1984年生まれ。近現代史研究者。政治と文化芸術の関係を主なテーマに、著述、調査、評論、レビュー、インタビューなどを幅広く手がけている。主な著書に、『古関裕而の昭和史――国民を背負った作曲家』（文春新書、2020年）、『空気の検閲――大日本帝国の表現規制』（光文社新書、2018年）、『大本営発表――改竄・隠蔽・捏造の太平洋戦争』（幻冬舎新書、2016年）、『たのしいプロパガンダ』（イースト新書Q、2015年）、『愛国とレコード――幻の大名古屋軍歌とアサヒ蓄音器商会』（えにし書房、2014年）などがある。

教養としての歴史問題

2020年8月20日発行

編著者――前川一郎
著　者――倉橋耕平／呉座勇一／辻田真佐憲
発行者――駒橋憲一
発行所――東洋経済新報社
〒103-8345　東京都中央区日本橋本石町 1-2-1
電話＝東洋経済コールセンター　03(6386)1040
https://toyokeizai.net/

装　丁…………橋爪朋世
D T P…………アイシーエム
印　刷…………東港出版印刷
製　本…………積信堂
編集協力………岩本宣明
編集担当………岡田光司

ISBN 978-4-492-06213-5